Candomblé e Umbanda

Dados Internacionais de Catalogação na Publicação (CIP)
(Câmara Brasileira do Livro, SP, Brasil)

Silva, Vagner Gonçalves da
Candomblé e umbanda: caminhos da devoção brasileira / Vagner Gonçalves da Silva ; [ilustrações Olavo Cavalcanti]. - 5. ed. - São Paulo : Selo Negro, 2005

Bibliografia.
ISBN 978-85-87478-10-8

1. Candomblé (Culto) 2. Candomblé (Culto) - História 3. Cultos afro-brasileiros 4. Orixás I. Cavalcanti, Olavo. II. Título.

Índice para catálogo sistemático:
1. Candomblé: Religiões de origem africana 299.673

Candomblé e Umbanda

Caminhos da devoção brasileira

Vagner Gonçalves da Silva

CANDOMBLÉ E UMBANDA
Caminhos da devoção brasileira

Capa: **Camila Mesquita**
Projeto gráfico do miolo: **Isabel Carballo**
Ilustrações: **Olavo Cavalcanti**

5ª EDIÇÃO

Selo Negro Edições
Departamento editorial:
Rua Itapicuru, 613 – 7º andar
05006-000 – São Paulo – SP
Fone: (11) 3872-3322
Fax: (11) 3872-7476
http://www.selonegro.com.br
e-mail: selonegro@selonegro.com.br

Atendimento ao consumidor:
Summus Editorial
Fone: (11) 3865-9890

Vendas por atacado:
Fone: (11) 3873-8638
Fax: (11) 3873-7085
e-mail: vendas@summus.com.br

Impresso no Brasil

Para Oseas e Ofélia

Agradecimentos

A Rita de Cássia Amaral,
pela colaboração e estímulo,
e a José Carlos Honório,
Terezinha Sávio, Rubens de
Souza e José Eduardo
Azevedo, pelo apoio.

SUMÁRIO

Capítulo 4

INTRODUÇÃO

Uma História que não está nos livros

Muitas perguntas passam pela cabeça das pessoas quando o assunto são as religiões afro-brasileiras: O que são? Como se originaram? O que pregam? Quais as diferenças entre elas? Quem as pratica?...

O objetivo deste livro é responder a essas perguntas e fornecer ao leitor uma visão histórica do desenvolvimento dessas religiões, enfocando principalmente seus dois modelos mais conhecidos: o candomblé e a umbanda. Com certeza, entretanto, sua leitura despertará novas dúvidas, novos interesses, já que o campo religioso afro-brasileiro é muito rico e diversificado, como veremos.

Reconstituir o processo histórico de formação das religiões afro-brasileiras não é, contudo, uma tarefa fácil. Primeiro, porque sendo religiões originárias de segmentos marginalizados em nossa sociedade (como negros, índios e pobres em geral) e perseguidas durante muito tempo, há poucos documentos ou registros históricos sobre elas. E, entre esses, os mais freqüentes são os produzidos pelos órgãos ou instituições que combateram essas religiões e as apresentam de forma preconceituosa ou pouco esclarecedora de suas reais características. É o caso dos autos da Visitação do Santo Ofício da Inquisição, nos quais estão registrados os processos de julgamento de muitos adeptos dos cultos afro-brasileiros que foram perseguidos (sob a acusação de praticarem "bruxaria") pela Igreja católica no Brasil colonial. Ou, então, dos "boletins de ocorrência" feitos pela polícia para relatar a invasão de terreiros e a prisão de seus membros, sob a acusação de praticarem curandeirismo, charlatanismo, etc.

A mesma visão preconceituosa também domina os relatos dos viajantes estrangeiros que estiveram no Brasil nos séculos passados, e descreveram algumas das manifestações religiosas afro-brasileiras como festas, danças, procissões, etc.

Outras razões que dificultam o relato da história das religiões afro-brasileiras são suas características particulares. Trata-se de religiões cujos princípios e práticas doutrinárias são, em geral, estabelecidos e transmitidos oralmente. Não há nelas livros sagrados (como a Bíblia, por exemplo) que registrem sua doutrina de forma unificada ou sua história. Neste sentido, são religiões não institucionalizadas. Ao contrário do que acontece, por exemplo, com a Igreja católica, que tem uma hierarquia centralizada na figura do Papa e estabelece princípios doutrinários válidos para as suas igrejas em todo o mundo, os terreiros são autônomos. Cada chefe de terreiro é o senhor absoluto, a autoridade máxima, o "papa" de sua comunidade.

A história dessas religiões tem sido feita, portanto, quase que anonimamente, sem registros escritos, no interior dos inúmeros terreiros fundados ao longo do tempo em quase todas as cidades brasileiras.

Ao lado dessas dificuldades, existem ainda outras relativas ao desinteresse pelos estudos das religiões afro-brasileiras. É que, tanto no senso comum como em muitos circuitos intelectuais, essas religiões não desfrutam do mesmo *status* de outras — por exemplo, o catolicismo, cuja história tem sido fartamente registrada e, em muitos casos, divulgada nas escolas como parte dos currículos de algumas disciplinas oficiais ou como matéria principal do ensino religioso facultativo.

Os cultos afro-brasileiros, por serem religiões de transe, de sacrifício animal e de culto aos espíritos (portanto, distanciados do modelo oficial de religiosidade dominante em nossa sociedade), têm sido associados a certos estereótipos como "magia negra" (por apresentarem geralmente uma ética que não se baseia na visão dualista do bem e do mal estabelecida pelas religiões cristãs), superstições de gente ignorante, práticas diabólicas, etc. Alguns desses atributos foram, inclusive, reforçados pelos primeiros estudiosos do assunto que, influenciados pelo pensamento evolucionista do século passado (cujo modelo de religião "superior" era o monoteísmo cristão), viam as religiões de transe como formas "primitivas" ou "atrasadas" de culto. Assim, "religião" opunha-se à "magia", da mesma forma que as "igrejas" (instituições organizadas de religião) opunham-se às "seitas" (dissidências não institucionalizadas ou organizadas de culto). Mas esses conceitos há muito tempo foram revistos e o ponto de vista adotado neste livro é o de que não existem religiões superiores ou inferiores, certas ou erradas, do bem ou do mal, pois essas classificações resultam mais de juízos éticos ou julgamentos subjetivos para os quais não há consenso possível — principalmente porque com freqüência as religiões são julgadas com os conceitos ou preconceitos provenientes de outras.

Ainda que se considere, como o fizeram os evolucionistas, que as religiões mais atrasadas são aquelas que possuem uma dose maior de magia, bastaria lembrar que todos os sistemas religiosos baseiam-se em categorias do pensamento mágico. O ofício de uma missa, por exemplo, comporta uma série de atos simbólicos ou operações mágicas (como as bênçãos, a transubstanciação da hóstia em corpo de Cristo, etc.) tanto quanto um ritual do candomblé ou da umbanda. Aliás, como veremos a seguir, foram as semelhanças estruturais entre a forma de culto do catolicismo popular e das religiões de origem africana e indígena (devoção aos santos e deuses tutelares, etc.) que possibilitaram o sincretismo e a síntese da qual se originaram as religiões afro-brasileiras.

Por fim, cabe ressaltar que as religiões, ainda que sejam sistemas de práticas simbólicas e de crenças relativas ao mundo invisível dos seres sobrenaturais, não se constituem senão como formas de expressão profundamente relacionadas à experiência social dos grupos que as praticam. Assim, a história das religiões afro-brasileiras inclui, necessariamente, o contexto das relações sociais, políticas e econômicas estabelecidas entre os seus principais grupos formadores: negros, brancos e índios.

O desenvolvimento do candomblé, por exemplo, foi marcado, entre outros fatores, pela necessidade por parte dos grupos negros de reelaborarem sua identidade social e religiosa sob as condições adversas da escravidão e posteriormente do desamparo social, tendo como referência as matrizes religiosas de origem africana. Daí a organização social e religiosa dos terreiros em certa medida enfatizarem a "reinvenção" da África no Brasil.

No caso da umbanda, de formação mais recente, seu desenvolvimento foi marcado pela busca, iniciada por segmentos brancos da classe média urbana, de um modelo de religião que pudesse integrar legitimamente as contribuições dos grupos que compõem a sociedade nacional. Daí a ênfase dessa religião em apresentar-se como genuinamente nacional, uma religião à moda brasileira.

Mas, para reconhecer e entender melhor este complexo quadro de semelhanças e divergências que caracterizam as religiões afro-brasileiras, deve-se começar indicando suas fontes a partir do universo social e religioso do Brasil colonial.

CAPÍTULO 1

O universo social e religioso do Brasil colonial

Quando Portugal, no início do século XVI, resolveu colonizar suas terras descobertas nos trópicos, trouxe também para o Brasil sua religião oficial — o catolicismo.

Neste período, a Igreja católica já sofria críticas por parte dos reformistas que denunciavam seus desvirtuamentos, e perdia adeptos para as religiões protestantes que se formavam na Europa. A possibilidade de conversão dos habitantes das terras do Novo Mundo serviu, então, como forma de a Igreja assegurar sua influência religiosa na América. Para a Coroa portuguesa a catequese dos índios também pareceu vantajosa, pois, ao torná-los cristãos, a Igreja os fazia tementes a Deus e, principalmente, submissos aos interesses colonizadores do Rei, que estava muito mais interessado em conquistar suas terras do que em garantir o céu às suas almas.

Na colonização do Brasil, o cultivo da cana logo sobressaiu como atividade principal e a produção de açúcar, a exemplo do que já ocorria em outras colônias portuguesas, tornou-se aqui um negócio promissor. O progressivo sucesso da empresa colonial, a expansão das lavouras canavieiras e as invasões holandesas e francesas conduziram a Metrópole a uma colonização mais efetiva e a um controle político mais intenso das atividades. Na tentativa de melhor controlar impostos, fiscalizar fronteiras e combater os índios, que ameaçavam os engenhos de açúcar, em 1549 criou-se o Governo-Geral, com sede na capitania da Bahia, e fundou-se a cidade de Salvador. Foi neste período que chegaram as primeiras missões jesuíticas, as quais culminaram com a criação do primeiro bispado no Brasil, instituindo definitivamente o catolicismo na colônia.

A produção de açúcar nos latifúndios exigiu grandes contingentes de trabalhadores e, devido à escassez de mão-de-obra portuguesa, os índios foram escravizados para servirem nas fazendas. Com o passar do tempo a escravidão indígena foi sendo substituída pela do negro de origem africana. Portugal já era, aliás, especializado no tráfico de negros mesmo antes da descoberta do Brasil, e não teve dificuldades em abastecer com essa mão-de-obra sua colônia brasileira.

Foi nas primeiras décadas do século XVI que teve início, portanto, a vinda de negros para o Brasil. E dessa forma, até fins do século XIX, o Brasil alimentou com mão-de-obra escrava os vários ciclos econômicos pelos quais passou desde sua descoberta até sua transformação em República.

Assim, para falar das origens das religiões afro-brasileiras, é preciso descrever o encontro destes três tipos de religiosidade, postos em contato com o descobrimento e durante a colonização portuguesa do Brasil: o catolicismo do colonizador que veio para cá, as crenças dos grupos indígenas que aqui já se encontravam e, principalmente, as religiões das várias etnias africanas.

O CATOLICISMO PORTUGUÊS

Um ambiente profundamente religioso marcou a história da formação de nosso país. As marcas começam com o próprio descobrimento: no nome com que foi batizada inicialmente a terra descoberta (Terra de Santa Cruz), no ato de rezar a primeira missa, nos nomes das primeiras vilas e sesmarias aqui fundadas (São Vicente e Santos) e até mesmo na forma tradicional de ocupação do espaço nas cidades brasileiras, que geralmente cresceram tendo como centro a praça onde se destaca a igreja.

O catolicismo, além de religião oficial, foi uma religião obrigatória. Professar outra fé que não fosse a cristã era correr o risco de ser considerado herege e, também, inimigo do rei cujo poder provinha de Deus. Para garantir a conversão e fiscalizar a vida religiosa dos seus fiéis, a Igreja dispunha de várias formas de controle e repressão aos desviantes da fé cristã. Uma das mais violentas e arbitrárias foi o Tribunal do Santo Ofício da Inquisição. Estabelecido pela Igreja na Europa, esse tribunal tinha como objetivo punir os praticantes de atos mágicos (tidos como bruxaria, feitiçaria ou curandeirismo), de aberrações sexuais ou de outras atividades pagãs. Era muito freqüente que a esses atos a Igreja atribuísse a influência do demônio. Assim, atitudes consideradas "suspeitas", como reuniões festivas com danças ou músicas, poderiam ser vistas como sabás (reunião de bruxas para invocar o demônio e se entregar à luxúria e a pecados abomináveis, como, imaginava-se, o sacrifício de crianças). Contra os acusados de tais atos, a Igreja promovia um processo que geralmente acabava com o réu sendo queimado em plena praça pública.

No Brasil, o Tribunal não chegou a se estabelecer propriamente, mas, em suas visitações à Bahia e a Pernambuco, em 1591, à Bahia, em 1618, e ao Grão-Pará e Maranhão, em 1763-68, processou muitos brancos, índios e negros, sob a acusação de feitiçaria ou de luxúria, o que terminou na sua deportação e julgamento pelos tribunais da Inquisição em Portugal.

O catolicismo, estabelecendo-se através desses mecanismos de conversão obrigatória, foi se tornando cada vez mais integrado ao cotidiano da vida colonial, sendo vivido de modo intenso através de festas, procissões, ladainhas e tantas outras atividades do extenso calendário anual da Igreja que congregava toda a população. No dia-a-dia, as orações pela manhã, antes das refeições e à noite após o trabalho marcavam como ponteiros o ritmo da vida das pessoas.

A devoção aos santos foi uma das características da formação de nosso catolicismo, ou seja, do catolicismo romano, e que teria conseqüências no sincretismo afro-brasileiro, tornando-o possível. O português, acostumado a dedicar rezas e fazer promessas aos santos padroeiros, trouxe para cá sua devoção a estes "intercessores santificados" (santos, anjos e mártires), através dos quais acreditava que seus pedidos chegavam mais depressa a Deus. Os santos guerreiros, como Santo Antônio, São Sebastião, São Jorge, São Miguel e outros, que de alguma forma aludiam à condição de conquistadores dos portugueses em sua luta contra índios, invasores e contra as duras condições de povoamento da terra, eram muito solicitados. São Roque, São Lázaro, São Brás e Nossa Senhora das Cabeças — e outros santos que curavam doenças de pele, respiratórias, hidrocefalia e tantas outras, facilmente contraíveis nos trópicos — também eram constantemente invocados nas promessas e ladainhas. A devoção à Virgem Maria em suas várias aparições ou denominações, como Nossa Senhora das Dores, do Parto, da Conceição, etc., era também uma característica da religiosidade portuguesa que, estruturada na família patriarcal, fazia da pureza e da maternidade de Maria um modelo de comportamento para as mulheres (cf. Hoornaert, 1978).

O catolicismo, nessa época, é uma religião profundamente mística ou mágica. Embora a Igreja proibisse as superstições pagãs e os atos considerados mágicos e punisse seus praticantes, ela não o fazia usando um discurso da não-existência desses fenômenos. Ela os combatia porque acreditava que somente eram legítimos os milagres e a intervenção do sobrenatural na vida das pessoas quando fosse a Igreja que os patrocinasse (cf. Thomas, 1991, p. 53).

Assim, fitas cortadas pelos padres com a medida das imagens dos santos e amarradas na cintura eram usadas para removerem dores, doenças e realizarem o pedido dos seus portadores. Os bentinhos, as figuras e medalhas de santos e as orações escritas depois de benzidas pelos sacerdotes eram postos entre livros, debaixo dos travesseiros ou dobrados e costurados em forma de uma pequena bolsa, carregada junto ao corpo para combater os males e garantir a proteção do santo retratado (cf. Ewbank, 1976). Aspergir água benta, benzer-se com o sinal-da-cruz e repetir preces consideradas "poderosas" afastavam os maus espíritos.

Numa religião em que o paraíso e a felicidade eterna estavam reservados para a vida após a morte, era natural que o culto às almas fosse uma preocupação constante dos fiéis. Para que as almas alcançassem o céu mais rapidamente não se economizavam velas, novenas, missas fúnebres e orações específicas em homenagem aos mortos. Dessa forma evitava-se, ao mesmo tempo, que eles assombrassem os vivos. Morrer sem receber a extrema-unção ou não poder garantir um enterro digno (isto é, cristão) também eram preocupações dos católicos.

A missa e os sacramentos da Igreja católica tinham aos olhos do povo a força de atos mágicos. O mistério da eucaristia (também conhecida como "ceia do Senhor", "pão dos anjos" ou "pão das almas"), em que o padre transforma o pão (hóstia) e o vinho em corpo e sangue de Cristo, posteriormente ingerido pelos fiéis para que fossem absolvidos de seus pecados, era tido como demonstração da força do poder divino. As ladainhas ritmadas, as rezas proferidas em latim, o som dos sinos e campânulas, a imponência dos trajes sacerdotais (como escapulários), o altar consagrado com relíquias tiradas dos ossos ou pedaços de roupa de santos e purificado pela fumaça aromática dos incensadores, enfim todos esses aspectos contribuíam para que o ofício da missa exercesse um fascínio mágico sobre os católicos — como se ali estivesse sendo aberto um acesso privilegiado ao mundo do sobrenatural sob os olhos extasiados dos anjos e santos pintados nos tetos das capelas. Um fascínio mágico do qual a Igreja deliberadamente soube tirar vantagens para converter, reprimir e atrair seus fiéis.

A esse catolicismo é que índios e negros, subordinados à religião do conquistador, foram convertidos, e ao qual somaram sua religiosidade de origem.

Os ritos indígenas

A presença portuguesa nos primeiros tempos da colonização do Brasil representou uma guerra sem-fim contra os índios que aqui viviam. A maioria — de uma população que se acredita em torno de cinco milhões de índios (em 1500), reunidos em centenas de grupos — foi dizimada, fazendo com que nações inteiras desaparecessem, como os tupinambás, antigos habitantes da costa brasileira. Os que não eram mortos, eram feitos prisioneiros e escravizados para trabalhar nas frentes de colonização. As missões jesuíticas logo trataram de convertê-los à fé católica. Todavia, como costuma acontecer entre culturas diferentes que se encontram, os grupos indígenas, mesmo convertidos, não abandonaram totalmente suas crenças e tradições.

Assim, ao mesmo tempo em que os índios associaram seus deuses aos santos e ao deus dos católicos, estes associaram os demônios aos espíritos indígenas, como o Jurupari, entidade sobrenatural, filho da virgem, que veio mandado pelo Sol para reformar os costumes da terra (cf. Cascudo, 1988, p. 420).

Hoje em dia é muito difícil reconstituir o que teriam sido as religiões originais desses índios. Pelas poucas informações que se tem, e comparando-as com as práticas atuais dos grupos que sobreviveram, podemos apenas ter uma idéia das características básicas dessa religiosidade. Seu ponto central era o culto à natureza deificada. O pajé e o feiticeiro ou xamã eram os que tinham acesso ao mundo dos mortos e dos espíritos da floresta, e geralmente a eles competia realizar rituais de cura de doenças, expulsar maus espíritos que se alojavam nos corpos das pessoas e desfazer feitiços mandados pelos inimigos. A ingestão de alimentos e bebidas fermentadas em muitos grupos tinha uma função ritual. Mesmo a antropofagia que caracterizou os tupinambás se revestia de um tom sagrado. Acreditavam que, comendo a carne dos seus inimigos, apoderavam-se de sua valentia e coragem. O uso de instrumentos mágicos, chocalhos (maracás) e adornos feitos com penas de aves, era indispensável para o cerimonial do pajé. A fumaça derivada da queima do fumo também assumia um papel ritualístico importante.

Para catequizar os índios, os missionários combatiam seus hábitos e crenças considerados mais hediondos e pecaminosos, como a antropofagia, a magia e a poligamia. Contudo, para que os índios melhor assimilassem a espiritualidade cristã, os missionários deixavam que os nativos adaptassem ao catolicismo outras características de sua religião consideradas não ofensivas à fé de Cristo. O consumo ritual de alimentos, característica da religião indígena, foi, por exemplo, revestido pelos padres de um sentido cristão. A farinha de mandioca abençoada pelos padres nos domingos após as missas, à falta de pão de trigo, era comida pelos índios com muita devoção (cf. Azevedo, 1976, p. 378).

Sob essas condições, a conversão do índio se fez pela união de suas crenças com as católicas. A Santidade, movimento do século XVI em que o xamanismo indígena e a antropofagia ritual somavam-se à devoção aos santos católicos, foi um dos mais significativos exemplos desse sincretismo:

> *Em 1583, manifestou-se um desses movimentos em forma bastante expressiva na Bahia. Pelas imediações das vilas apareceram grandes grupos de indígenas com insígnias e emblemas católicos, mas com danças, cantos e instrumentos nativos: nesses grupos manifestavam-se transes, faziam-se sacrifícios de crianças e praticavam-se ritos, aparentemente expiatórios; atacavam fazendas e engenhos e pregavam que os seus ancestrais mortos há muito tempo deveriam chegar em navio para livrar os índios da servidão aos portugueses (Azevedo, 1976, p. 382).*

Na Primeira Visitação do Santo Ofício da Inquisição também temos a descrição de uma Santidade que foi perseguida pela Igreja. Nesse culto indígena, cujo chefe era denominado de "papa", idolatrava-se um ídolo de pedra que recebia o nome de Maria, o qual tinha como função promover a incorporação do "espírito da santidade" (Espírito Santo) no fiel através do uso do tabaco, conforme prática comum entre os pajés indígenas (cf. Bastide, 1985, p. 243).

Como se vê, o índio, mesmo "católico", não deixou de acreditar em seus deuses, de cultuar os espíritos das florestas ou de reverenciar seus ancestrais. No século XVII, ao sincretismo indígena/católico foi acrescentada a influência das religiões trazidas pelos escravos negros.

AS RELIGIÕES AFRICANAS

As etnias do negro

No Brasil, costumava-se classificar os escravos de acordo com a localização dos portos onde embarcavam na África e, como nestes se reuniam negros de várias procedências, capturados no litoral ou no interior do continente, ainda hoje prevalece muita confusão acerca de sua origem.

Até onde se sabe, entre as principais etnias (grupo de origem e cultura comuns) africanas que desembarcaram nas costas brasileiras, sobrevivendo às precárias condições de viagem nos porões dos navios negreiros, destacaram-se dois grupos: os sudaneses e os bantos.

Os *sudaneses* englobam os grupos originários da África Ocidental e que viviam em territórios hoje denominados de Nigéria, Benin (ex-Daomé) e Togo. São, entre outros, os iorubás ou nagôs (subdivididos em queto,

Rugendas

A catequese dos índios também serviu para subordiná-los aos interesses econômicos de Portugal.

ijexá, egbá, etc.), os jejes (ewe ou fon) e os fanti-achantis. Entre os sudaneses também vieram algumas nações islamizadas como os haussás, tapas, peuls, fulas e mandingas. Essas populações se concentraram mais na região açucareira da Bahia e de Pernambuco, e sua entrada no Brasil ocorreu sobretudo em meados do século XVII, durando até metade do século XIX.

Os *bantos* englobam as populações oriundas das regiões localizadas no atual Congo, Angola e Moçambique. São os angolas, caçanjes e bengalas, entre outros. Desse grupo, calcula-se que tenha vindo o maior número de escravos. Foi também o que maior influência exerceu sobre a cultura brasileira, tendo deixado marcas na música, na língua, na culinária, etc. Os bantos se espalharam por quase todo o litoral e pelo interior, principalmente Minas Gerais e Goiás. Sua vinda teve início em fins do século XVI e não cessou até o século XIX.

Os negros que foram vendidos como escravos eram capturados diretamente pelos europeus ou comprados em regiões de intenso comércio escravagista, como a do Golfo do Benin, conhecida como Costa dos Escravos. Em muitos casos, os negros vendidos nessas regiões eram aprisionados por tribos inimigas ou pertenciam a facções rivais dentro de sua própria tribo. Recentes pesquisas históricas mostram que em fins do século XVIII uma rainha do Daomé, Agontimé, mulher do rei Agonglo que foi derrotado por seu rival, Adandozan, foi vendida como escrava, tendo vindo parar em São Luís do Maranhão. E nessa cidade, no terreiro Casa das Minas, ainda existente, teria difundido o culto aos deuses (voduns) da família real daomeana (cf. Verger, 1990).

Os contatos entre as várias nações africanas e entre estas e os brancos já eram freqüentes em períodos anteriores à deportação dos grupos negros para o Brasil. Devido às relações de aliança ou de dominação entre os reinos africanos, era comum que cultos e divindades se difundissem de uma região para outra, como a adoção pelos iorubás de alguns dos deuses do Daomé e vice-versa. O islamismo, proveniente da África Oriental, também já havia se estendido até a costa ocidental, e o colonialismo europeu, a partir do século XVIII, intensificou o contato religioso entre brancos e negros. Pela ação da catequese religiosa muitas tradições étnicas foram transformadas.

A escravidão fez, assim, com que homens, mulheres e crianças, membros de reinos, clãs e linhagens, aliados e inimigos, caçadores, guerreiros, agricultores, sacerdotes e cultuadores de antepassados, enfim, pessoas com relações de parentesco próprias, vivendo sob uma determinada organização social, política e religiosa, fossem retiradas desses contextos para tornarem-se mão-de-obra escrava numa terra distante e numa sociedade diferente da sua.

Aqui tiveram de viver sob um regime que não lhes conferia o *status* de pessoa; eram vistos como meras "peças", compradas e revendidas como coisas. Seu dia-a-dia era marcado por jornadas de trabalho que começavam nas primeiras horas da madrugada e terminavam quando seus donos permitissem. Os negros, amontoados nas senzalas, barracos de portas e janelas estreitas, sem ventilação ou higiene, dormindo em esteiras pelo chão e separados de seus parentes, ficavam à margem do convívio social. De um lado, estava o modelo dominador da família patriarcal da casa-grande, onde o senhor de engenho reinava absoluto, tendo sob suas ordens mulher e filhos, clero e autoridades civis (na casa-grande o negro só entrava como escravo doméstico, ama-de-leite, pajem dos sinhozinhos e das sinhazinhas). De outro lado, estavam os valores e tradições culturais que os negros trazidos da África tentarão conservar a todo custo, como seres dotados de um passado que a brutalidade do cotidiano não pode apagar.

Entre a senzala e a casa-grande

A catequese dos negros não correspondeu, salvo em raras exceções, ao protesto dos jesuítas e padres contra as condições desumanas de trabalho e de maus tratos a que os negros foram submetidos. Esta atitude contraditória da Igreja fez com que a catequese e a manutenção da escravidão andassem de mãos dadas. Embora pregassem a igualdade e a fraternidade dos homens perante Deus, navios negreiros utilizados no comércio escravagista eram batizados com nomes católicos (Nossa Senhora da Imaculada Conceição, Mãe de Deus) e muitos padres eram donos de escravos. Aos negros era ensinada a resignação e a obediência ao senhor de engenho como forma de alcançar o céu e redimir os pecados de suas almas. A comparação entre as privações da vida do escravo e os sofrimentos de Cristo era freqüentemente utilizada para consolá-los.

Os negros, tornados cristãos pelo batismo, somavam à fé nos santos católicos sua devoção aos orixás africanos.

Uma das leis do acordo entre a Coroa portuguesa e a Igreja dizia que o escravo deveria ser batizado no prazo máximo de cinco anos depois de chegado ao Brasil. Assim, competia à Igreja aplicar os sacramentos básicos que os transformassem de pagãos, pecadores, em cristãos. O batismo e a adoção de um nome cristão (geralmente de inspiração bíblica ou de santos como José, Maria, Sebastião e Benedito) não lhes garantiu, entretanto, nenhum tratamento fraterno ou mesmo humano. A Igreja fazia vistas grossas ao tipo de conversão do escravo, considerado mão-de-obra essencial, uma vez que puni-lo por seus desvios religiosos era privar o senhor de engenho de uma importante força de trabalho. Bastava, neste caso, o "verniz católico" para satisfazer a consciência de padres e senhores.

A vida sexual dos negros também era vigiada para que se pudesse combater o pecado da promiscuidade e preservar a moral católica. Os casais se formavam a partir das preferências do senhor de engenho, tendo em vista a procriação de filhos saudáveis para o trabalho na lavoura, e o seu casamento era abençoado pelo padre local.

Já em relação ao sexo entre brancos e negros, a moral católica era mais condescendente diante da evidência dos freqüentes nascimentos de filhos bastardos do senhor de engenho com suas escravas. Para esses mulatos, que continuaram escravos, mesmo tendo como pai o senhor de engenho (ou os filhos destes que se iniciavam sexualmente com as negras), o destino reservado foi o da dupla discriminação: a dos brancos que os consideravam negros e a destes que os consideravam

O casamento dos negros, realizado nas naves laterais da igreja, reflete a posição que eles ocupavam na sociedade brasileira.

brancos. Os que foram libertados — por influência das senhoras que não queriam ver por perto o fruto do adultério de seus maridos — logo engrossaram as fileiras dos desocupados e dos indivíduos que, prestando serviços ocasionais aqui e ali, formaram uma categoria intermediária que não tinha a solidariedade nem dos servos nem dos patrões.

A repressão à magia africana

A Igreja, vinculada a interesses diversos que se refletiam na política ambígua de catequese dos negros, ora tentava disciplinar a vida religiosa destes grupos, ora fazia vistas grossas às suas danças, cânticos e rezas realizadas em domingos e feriados santificados, nos terreiros das fazendas, em frente às senzalas. Nessas ocasiões os padres preferiam acreditar na justificativa dos negros que diziam ser os "batuques" homenagens aos santos católicos feitas em sua língua natal e com as danças de sua terra. Neste sentido, os batuques eram tolerados porque vistos como um inofensivo "folclore".

A aristocracia e o governo, quando admitiam os batuques, era porque, além de considerá-los como folclore, havia uma justificativa política por trás da tolerância. Julgavam que sua prática fosse uma forma de os negros manterem vivas suas tradições africanas e as rivalidades entre os grupos de escravos provenientes de nações inimigas na África. Assim, a organização de rebeliões ficaria mais difícil se não se criassem entre as etnias africanas laços de solidariedade que as aproximassem do inimigo comum, os escravizadores. Contudo, se as danças e músicas foram toleradas, o aspecto mágico da religiosidade africana foi duramente combatido.

As religiões africanas caracterizavam-se, como ainda hoje, pela crença em deuses que incorporam em seus filhos. São também religiões baseadas na magia. O sacerdote, ao manipular objetos como pedras, ervas, amuletos, etc., e fazer sacrifícios de animais, rezas e invocações secretas, acredita poder entrar em contato com os deuses, conhecer o futuro, curar doenças, melhorar a sorte e transformar o destino das pessoas. Por esses princípios a magia africana era vista como prática diabólica pelas autoridades eclesiásticas, como já havia ocorrido com as religiões indígenas. Principalmente porque, sendo o catolicismo colonial também uma religião fortemente magicizada, era preciso distinguir a fé católica nos santos, almas benditas e milagres, das crenças consideradas "primitivas" em seres que incorporam, em espíritos que recebem como alimento sacrifícios de sangue e em adivinhos que operam curas. Da mesma forma que foi preciso distinguir a ingestão da hóstia, representando o corpo de Cristo, da antropofagia ritual dos índios.

Durante as Visitações, o Tribunal do Santo Ofício da Inquisição perseguiu e condenou muitos negros por ver seus encontros (com cantos e danças frenéticas) como invocações do demônio, espécies de orgias à semelhança dos sabás europeus. Os transes dos negros eram vistos como demonstração de possessão demoníaca e as adivinhações, sacrifícios e outras práticas mágicas eram bruxaria ou, então, "magia negra" (como se convencionou chamar a magia feita para o mal).

Como se vê, o escravo deveria aceitar a religião do branco, embora este raramente procurasse se aproximar para entender a religião do negro, que desde cedo foi estigmatizada, considerada coisa do mal, do diabo, enfim, ofensiva a Deus.

O catolicismo do negro

A partir de fins do século XVII, o catolicismo brasileiro, até então uma religião doméstica centrada na capela das fazendas, passou a ser uma religião das cidades que se formavam ao redor dos engenhos de açúcar do litoral ou das minas de ouro do interior. As igrejas tornaram-se os principais centros aglutinadores das atividades religiosas e pontos de convergência da comunidade, que era formada pelos segmentos básicos da sociedade colonial: a aristocracia, o clero e os escravos.

No alto dessa hierarquia social, a aristocracia e o clero muitas vezes se confundiam. As famílias aristocráticas, conscientes do alto prestígio do clero, esforçavam-se para ter um padre entre os seus membros. Figura de poder, ao padre competia não só rezar missas, ministrar os sacramentos da Igreja (batizados, casamentos, etc.), mas também cuidar da educação dos jovens, zelar pela moral católica e, é claro, além desse controle religioso e social, apoiar as alianças políticas segundo os interesses da Igreja.

Com o crescimento das cidades, decorrente da multiplicação das atividades econômicas (produção de açúcar, mineração do ouro, fumo, gado, café, etc.), a partir do século XVIII a vida urbana passou a apresentar uma heterogeneidade de problemas e uma proximidade entre as classes que ameaçaram as fronteiras entre senhores e escravos, ricos e pobres.

Nas cidades, uma população considerável de indivíduos mestiços, negros alforriados e "escravos de ganho", que trabalhavam como vendedores, barbeiros e carregadores, andavam livremente pelas ruas, se reuniam pelas esquinas e becos e formavam associações de ofício e de lazer onde se entregavam efusivamente às suas danças e rodas de capoeira e de batuque.

Assim, se a religião "aproximava" os negros dos brancos, e a cidade com seu estilo de vida facilitava os contatos entre as classes, era preciso que a Igreja controlasse essa aproximação, mantendo os grupos subordinados nessa condição tanto no interior das instituições religiosas católicas como na sociedade fora delas.

O ofício da missa e a realização das festas religiosas ou cívicas que envolviam procissões, autos e folguedos quebravam a rotina de trabalho marcando os domingos e feriados santificados. Eram momentos privilegiados de reunião da sociedade, de convergência da população urbana e das vizinhanças. Tornados católicos, os negros escravos e a população mestiça tinham o direito de freqüentar a missa e as igrejas de seus senhores. Contudo, só faziam isso em espaços reservados a eles, como nos pórticos de onde assistiam à missa em pé. Na nave principal, as famílias senhoriais ocupavam os bancos de acordo com sua riqueza e seu prestígio. Quanto mais ricas e poderosas, mais próximas ficavam do altar principal.

Nas procissões que percorriam as ruas da cidade em louvor a *Corpus Christi*, Cinzas, São Francisco, etc., a aristocracia branca, o clero, os negros e os mulatos desfilavam sempre de modo a não se misturarem durante o cortejo.

Ao participar dessas cerimônias, o negro incorporou a elas seu modo de ser, marcado pela alegria, música, dança e utilização de instrumentos de percussão. O viajante Saint-Hilaire, que esteve no Brasil entre 1816 e 1822, relata como na procissão das Cinzas em Minas Gerais, por influência dos negros, a cerimônia tornava-se irreverente, com "ridículas palhaçadas [que] se misturavam com [o] que a religião católica tem de mais respeitável" (1975, p. 66). Os alemães Spix e Martius, que estiveram no Brasil nessa mesma época, em sua visita a Salvador narram que:

> *[...] os festejos do Senhor do Bonfim, no arrebalde desse nome, os quais se celebram duas vezes ao ano, atraem inumerável aglomeração de povo, e duram, com a iluminação da igreja e dos edifícios próximos, alguns dias e noites. O vozerio e os divertimentos extravagantes do grande número de negros, ali reunidos, dão a essa festa popular uma feição estranha e excêntrica, da qual só pode fazer idéia quem observou as diversas raças na sua promiscuidade (1981, p. 152).*

Também nos autos, teatralizações de passagens bíblicas ou de eventos da história do cristianismo, os negros sempre representavam os inimigos da fé. Nas cavalhadas, teatralizações com cavaleiros que simulam a batalha entre mouros (povo islamizado que invadiu

Rugendas

A alegria, a dança e os instrumentos musicais, ingredientes da religiosidade dos negros, chocavam a sociedade conservadora colonial.

a península Ibérica e eram considerados o "mal") e cristãos (que os expulsaram e eram considerados o "bem"), os negros sempre eram os mouros, não só pela semelhança da cor de pele mas por ambos serem considerados pagãos.

As investidas da aristocracia branca contra as transformações que a religiosidade africana impôs ao catolicismo fizeram com que a Igreja, em muitos casos, proibisse a realização das cerimônias dos negros junto com as festas católicas. Certas celebrações populares, como as congadas, moçambiques, folias de reis e o próprio carnaval, que caracterizam a cultura brasileira, tiveram aí sua origem.

Outra forma de separação entre negros e brancos foram as irmandades dos "homens de cor".

Uma das características da Igreja católica no Brasil foi o incentivo à criação de associações de leigos. Essas associações, como as Confrarias, Ordem Terceira, Ordem dos Militares, Irmandades, Santa Casa de Misericórdia e outras, tinham por objetivo integrar a comunidade católica através da participação dos seus membros na organização da vida religiosa local. Competia às irmandades organizar as festas da paróquia, recolher o dízimo, prestar serviços assistenciais e divulgar a fé cristã.

Os negros, impedidos de participarem das irmandades dos brancos, foram reunidos em irmandades religiosas próprias, separadas segundo a cor de pele e a condição de escravo ou de liberto. Uma das mais conhecidas irmandades foi a de Nossa Senhora do Rosário, estabelecida em vários pontos do Brasil.

Essa irmandade, criada pelos jesuítas em 1586, visava atrair os negros através da devoção aos santos de cor preta (São Benedito) e às virgens negras (Nossa Senhora do Rosário). Em geral, essas irmandades reuniam escravos de uma mesma nação africana e muitas vezes eram exclusivas de homens ou de mulheres. Na Bahia, os daomeanos (jejes) foram agrupados na Confraria do Senhor da Redenção, os negros angolas na Ordem Terceira do Rosário, os mulatos na Ordem do Senhor da Cruz (cf. Bastide, 1985, p. 171). Procurando "traduzir" o catolicismo para a compreensão dos negros, a Igreja permitia que as irmandades organizassem seus "folguedos" como forma de participarem das comemorações cristãs,

> *[pois] negar-lhes totalmente os seus folguedos, que são o único alívio do seu cativeiro, é querê-los desconsolados e melancólicos, de pouca vida e saúde. Portanto, não lhes estranhe os senhores o criarem seus reis, cantar e bailar por algumas horas honestamente em alguns dias do ano, e o alegrarem-se inocentemente à tarde depois de terem feito, pela manhã, suas festas de Nossa Senhora do Rosário, de São Benedito e do orago da capela do engenho (Antonil, apud Braga, 1987, p. 14).*

Os escravos tinham também, nas irmandades, uma importante associação de auxílio mútuo. Através da contribuição de seus filiados tentava-se formar um pecúlio suficiente para comprar a alforria dos seus membros e assegurar um enterro cristão aos seus filiados — o que geralmente era feito misturando-se as ladainhas católicas com os ritos funerários da nação africana do morto.

A construção de igrejas próprias também era um objetivo dessas irmandades. Os santos negros católicos eram, em princípio, venerados em altares laterais das igrejas, cujos cuidados ficavam a cargo das irmandades. Contudo, construir uma igreja própria para o santo de devoção dessas associações era considerado um símbolo de prestígio para a irmandade. Considerando-se a condição de miséria em que viviam os negros, pode-se supor o sacrifício necessário para a realização desse objetivo e a importância que assumiu o catolicismo para as suas vidas.

Se a fé dos negros nos deuses de sua religião original esteve primeiramente disfarçada nas danças e cantos que eles faziam em louvor aos santos católicos, num segundo momento sua fé se dirigiu tanto a uns como a outros. Ou seja, o negro, assim como o índio, continuou acreditando nos seus deuses mesmo considerando-se cristão.

Portanto, a enorme separação social entre brancos, negros e índios não significou que suas tradições culturais se mantivessem impermeáveis umas às outras. O que se verificou no universo religioso do Brasil colonial é que as religiões que o compunham romperam seus limites e se traduziram mutuamente, dando origem às novas formas, mistas, afro-brasileiras.

CAPÍTULO 2

O candomblé e a reinvenção da África no Brasil

O nome mais freqüente para as religiões de origem africana no Brasil até o século XVIII parece ter sido *calundu*, termo de origem banto, que ao lado de outros como *batuque* ou *batucajé* designava e abrangia imprecisamente toda sorte de dança coletiva, cantos e músicas acompanhadas por instrumentos de percussão, invocação de espíritos, sessão de possessão, adivinhação e cura mágica.

Os calundus foram, até o século XVIII, a forma urbana de culto africano relativamente organizado, antecedendo às *casas de candomblé* do século XIX e aos atuais *terreiros de candomblé.*

Um dos relatos mais antigos que se tem dos calundus é de 1728. Na Bahia, o viajante português Marques Pereira, hospedado em uma fazenda, não conseguiu dormir devido ao "estrondo dos tabaques, pandeiros, canzás, botijás e castanhetas, com tão horrendo alarido" que lhe pareceu "a confusão do inferno". Reclamou na manhã seguinte ao seu anfitrião, que se desculpou dizendo que se soubesse que o barulho iria perturbar o sono do visitante, mandaria que naquela noite "não tocassem os pretos seus calundus". Curioso, o visitante perguntou: "Senhor, que coisa é calundus?". Explicou-lhe o fazendeiro:

> *São uns folguedos, ou adivinhações que dizem estes pretos costumam fazer nas suas terras, e quando se acham juntos, também usam deles cá, para saberem várias coisas, como as doenças de que precedem, e para adivinharem algumas coisas perdidas; e também para terem ventura em suas caçadas, e lavouras (Cascudo, 1988, p. 182).*

Em Minas Gerais os calundus foram muito freqüentes. O pesquisador Luis Mott (1986) enumerou algumas de suas práticas. Em 1765, no Arraial de São Sebastião, o negro Félix foi denunciado por fazer batuques nos quais "desciam almas". Em 1777, em Itapecerica, os negros Roque Angola e Brígida Maria faziam calundus ao som de violas. Utilizavam água de ervas para se lavarem e diziam que "as almas dos mortos entravam no corpo dos vivos" e que "o calundu era o melhor modo de dar graças a Deus". O negro angola afirmava também ser o "Anjo Angélico" e tinha o "poder do Sumo Pontífice para casar e descasar". Em 1781, em Campanha, o negro Antônio, também chamado de "Antônio Calundu", fazia adivinhações com um espelho e uma cruz. Já o negro Francisco, em 1782, na cidade de Mariana, adivinhava e curava fazendo as almas falarem através de um búzio e um chapéu (cf. Mott, 1986, p. 141).

Também em Minas Gerais, a pesquisadora Laura de Mello e Souza localizou muitos calundus, como o da negra Luzia Pinto, publicamente conhecida por ser feiticeira, "fazendo aparições diabólicas por meio de umas danças, a que chamam vulgarmente calundus". No seu ritual para adivinhar coisas, ela se vestia "em certos trajes não usados naquela terra", e cantava e dançava ao som de tambores tocados por negros, até ficar fora de si, falando coisas que ninguém entendia (cf. Souza, 1989, p. 267).

Em Pernambuco, muitos registros mostram os calundus como bailes feitos às escondidas pelos negros, em casas ou em roças. Um deles é descrito como uma cerimônia presidida por uma "preta mestre com altar de ídolos adorando bodes vivos, e outros feitos de barro, untando seus corpos com diversos óleos, sangue de galo, dando a comer bolos de milho depois de diversas bênçãos supersticiosas" (Ribeiro, 1952, p. 28).

Por essas descrições dos calundus é possível perceber que já no início do século XVIII esses cultos estavam minimamente organizados em torno de seus sacerdotes (chamados por "calundu" ou "calundeiro", como o negro "Antônio Calundu", "feiticeiros" como a negra Luzia ou "preta mestre"). Eram cultos que englobavam uma grande variedade de cerimônias misturando os elementos africanos (atabaques, transe por possessão, adivinhação por meio de búzio, trajes rituais, sacrifício de animais, banhos de ervas, ídolos de pedra, etc.) aos elementos católicos (crucifixos, anjos católicos — o Anjo Angélico —, sacramentos como casamento) e ao espiritismo e superstições populares de origem européia (adivinhação por meio de espelhos, almas que falam através dos objetos ou incorporadas nos vivos, etc.). A expressão de que o calundu "era o melhor modo de dar graças a Deus" é bastante reveladora desse sincretismo, e mostra que o negro não apenas modificou o catolicismo, introduzindo seus ritos nas festas e procissões realizadas nos pátios das igrejas e nas reuniões das irmandades de cor; esse sincretismo também foi elaborado no interior dos cultos africanos.

No Brasil, os primeiros calundus estiveram confinados aos espaços das fazendas. Só podiam ser realizados na escuridão e solidão das matas e roças ou nos próprios espaços contíguos à senzala — o terreiro, permanentemente vigiado pelos capatazes para evitar a fuga dos escravos. Nestas condições supõe-se que sua organização tenha enfrentado muitas dificuldades, principalmente porque o culto aos deuses africanos estabelece uma série de interdições que devem ser respeitadas. Os deuses devem ser cultuados em recipientes especiais que contêm os elementos naturais que os representam, como água, pedra, peças de ferro, etc. Esses recipientes, tratados como coisas vivas (porque neles os deuses habitam), devem ficar em local consagrado e de acesso reservado, pois sobre eles são feitas as oferendas de alimentos e sacrifícios de animais que renovam sua força mágica e a de seus cultuadores. Muitos processos católicos contra negros relatam estes fatos, como o do escravo do senhor Inácio Xavier que "adorava ao deus de sua terra tendo no teto de sua casa uma panela, que reverenciava; punha-lhe guisados e trastes à mesa, pedia-lhe licença para comer, e ao

Rugendas

Longe dos olhos do senhor, os negros reelaboraram suas expressões culturais e religiosas.

redor da mesma panela fazia suas festas e calundures" (Souza, 1989, p. 265).

Contudo, com o crescimento das cidades e o aumento do número de negros libertos, mulatos e escravos urbanos (que nelas circulavam com maior liberdade e autonomia em relação aos escravos das fazendas), as manifestações religiosas encontraram melhores condições para se desenvolverem. As moradias dessa população, localizadas nos velhos sobrados e nos casebres coletivos, tornaram-se pontos de encontro e de culto, relativamente resguardados da repressão policial.

Nessas moradias pôde-se garantir, ainda que precariamente, a realização das festas religiosas com uma certa freqüência e a construção e preservação dos altares com os recipientes consagrados dos deuses.

O uso do mesmo espaço para a moradia dos negros e para o culto dos seus deuses foi uma característica dos primeiros templos das religiões afro-brasileiras e que possibilitou a existência dos calundus sob a adversidade do regime de escravidão. Característica que a maioria dos templos preserva até hoje.

Mudanças na ordem constitucional do país e na Igreja católica, ocorridas no século XVIII, também favoreceram a continuidade dos cultos africanos nos templos urbanos.

Com a independência do Brasil, a Constituição de 1824 garantiu a liberdade de culto, desde que o templo não ostentasse símbolos na fachada. Esta atitude visava favorecer, principalmente, os estrangeiros não-católicos, mas, de uma certa maneira, criou também um dispositivo legal de proteção à religião dos negros.

A Igreja, depois de uma longa história de repressão religiosa aos cultos populares de origem africana e indígena, com o declínio do poder dos tribunais da Inquisição e por influência das idéias da Revolução Francesa e iluministas, deixou de persegui-los, substituindo a repressão pelo sentimento de superioridade que separou a fé católica das elites brancas das práticas consideradas rudes e ignorantes do povo (cf. Souza, 1989, p. 324).

Se a privacidade dos templos contribuiu para uma melhor organização da religião e para coibir a repressão, isto não significou, contudo, que esta tenha cessado. Com as sucessivas revoltas de escravos que ocorreram principalmente na Bahia, na primeira metade do século XIX, temeu-se que as reuniões de negros, disfarçadas de encontros religiosos, facilitassem a elaboração dos levantes. De fato, muitas insurreições de escravos foram feitas por negros de uma mesma etnia que professavam valores religiosos comuns e se valeram deles para mobilizarem-se contra os seus escravizadores. Foi o que ocorreu, por exemplo, na revolta dos malês, sudaneses islamizados que usavam, para se protegerem durante os conflitos, amuletos (patuás) feitos com orações copiadas do Alcorão — o livro sagrado dos muçulmanos, contendo as palavras de Deus transmitidas a Maomé pelo anjo Gabriel.

Entre os terreiros e os quilombos também havia estreitas relações de ajuda. Alguns quilombos localizados nas proximidades das cidades se mantiveram auxiliados pelas casas de candomblé. E foi nelas que muitos escravos fugidos ou revoltosos se esconderam da perseguição dos capitães-de-mato e da guarda (cf. Rodrigues, 1977).

O terreiro associou-se, assim, ao protesto do negro contra as condições da escravidão, colocando tanto sua organização a favor da luta pela libertação como, no plano religioso, promovendo a crença na magia compartilhada por pessoas que tinham em comum, além da condição de subordinação, a esperança na transformação dessas condições.

Abolição e República: a emergência do candomblé

Com a abolição da escravidão, em 1888, e a proclamação da República, no ano seguinte, uma nova ordem econômica e política se instaurou no Brasil. O trabalho escravo foi substituído pelo assalariado e a Monarquia deu lugar ao regime republicano.

A República, instalada no Brasil sob influência das idéias liberais e positivistas européias (de liberdade, igualdade, fraternidade, ordem e progresso), teve como suporte, além dos setores militares que a proclamaram, as velhas oligarquias agrárias e as novas elites industriais que se formavam nesse período.

A libertação dos escravos deu mostras da crise por que passava o império em sua última fase. De um lado, estava o império, pressionado externamente por países, como a Inglaterra e os Estados Unidos (recém-saídos de uma guerra interna contra a escravidão), que desejavam a ampliação do sistema capitalista baseado na mão-de-obra assalariada e na livre concorrência de mercado. De outro, estavam os interesses internos das elites modernizantes que, querendo fazer o Brasil entrar na era industrial, viam na escravidão um empecilho. Já os políticos abolicionistas, percebendo que a escravidão era um tema que insuflava as multidões, estimulavam os movimentos antiescravagistas. Contudo, nenhuma dessas classes tinha um plano para o que fazer com os negros na manhã seguinte à abolição.

Assim, a abolição, ao dissolver o antigo regime de produção agrária, e não tendo planos para recolocar os negros na sociedade, revelou as contradições de uma economia não preparada para funcionar segundo as leis de mercado e de produtividade impostas pelo regime capitalista. Proprietário e escravo, tornados da noite para o dia patrão e trabalhador livre, foram forçados a estabelecer uma relação contratual que escapava à compreensão de ambos, acostumados à relação de paternalismo e servilismo.

Os patrões, não desejando sustentar os trabalhadores negros dos seus latifúndios, logo se desfizeram de grande parte de seus contingentes de ex-escravos, preferindo empregar os imigrantes europeus, que neste período chegaram em grandes levas ao Brasil, e eram considerados mais produtivos que os negros.

O ex-escravo, agora dono de sua própria vida, não encontrando mais emprego nas fazendas ou mesmo não querendo nelas permanecer, inchou as cidades em busca de melhores condições de sobrevivência. Contudo, encontrou nelas situação semelhante ou pior do que aquela do seu tempo de cativeiro, tendo de se submeter aos serviços mais desqualificados ou às condições mais degradantes de trabalho nos serviços dos cais, na construção de estradas de ferro, nas oficinas, etc. O pequeno comércio foi outra atividade dos negros na cidade. Povoando as ruas, dedicaram-se à venda itinerante de vassouras, cestos e outros produtos artesanais. Ou ainda, instalados em humildes quiosques ou portinhas dos velhos sobrados coloniais, comercializavam os mais variados produtos como comidas, bebidas, fumo, aves, etc.

As mulheres negras, tidas por exímias cozinheiras, quando não continuaram como empregadas domésticas na casa de seus antigos donos se estabeleceram vendendo, em seus tabuleiros, doces, acarajés, abarás e outras comidas da culinária africana feitas na hora, ali mesmo na rua.

À noite, os que tinham um pouco mais de sorte e não dormiam nas ruas e praças, dirigiam-se para os cortiços que se multiplicaram pelo centro e periferia das cidades. Foi nessas moradias coletivas, sem água encanada, esgoto, energia elétrica, feitas de madeira e em locais abandonados, de morros, nas regiões mais decadentes do centro da cidade ou nos subúrbios, que o negro se viu livre do senhor, porém não da opressão, nem da pobreza.

O projeto modernizante que as classes dominantes queriam instituir no país reclamava a necessidade de "civilizar" o Brasil colocando-o ao lado das "melhores" nações européias. Junto com os trabalhadores imigrantes que iriam patrocinar nosso desenvolvimento e as novidades tecnológicas da era industrial, importou-se também o gosto e estilo de vida europeus (a moda das luvas, do fraque e cartola com os quais a elite desfilava publicamente sob o sol dos trópicos, ou dos símbolos de "boa educação", como falar francês e tocar piano, algo muito desejável para as "moças de família").

Os negros e os mulatos perceberam que, mesmo tornados iguais aos brancos perante as leis republicanas, estavam de fato segregados por sua condição econômica e, principalmente, racial, pois em tal projeto de modernização não lhes foi reservado nenhum espaço. As idéias europeizantes das cidades brasileiras levaram a um paulatino isolamento dos núcleos negros, considerados pela polícia como local de malandros, criminosos, bêbados, desocupados e embusteiros em geral. A ordem era moralizar (cf. Rolnik, 1989).

Planos sanitaristas desempenharam seu papel higienizador junto a esses núcleos. Tidos como focos de doenças e epidemias que colocavam em risco a saúde da população das cidades, esses lugares foram estigmatizados pela classe média e freqüentemente fiscalizados pelas autoridades sanitárias no sentido de isolá-los e prevenir o alastramento de possíveis doenças contagiosas como varíola, tuberculose, febre amarela e muitas outras "doenças da pobreza".

Além do projeto sanitarista, o projeto arquitetônico do desenvolvimentismo urbano tratou de controlar e, quando possível, expulsar os negros dos espaços mais centrais da cidade. As freqüentes remodelações na paisagem urbana de cidades como Rio de Janeiro, capital da república, tinham como inspiração os *boulevards* parisienses. Essas remodelações atendiam aos interesses industriais e mercantilistas das classes empresariais interessadas em tornar a cidade mais "limpa" dos pardieiros e funcional ao comércio e à freqüência das famílias ricas e de classe média. As ruas foram então alargadas derrubando-se centenas de cortiços e expulsando sua população para os morros ou para os subúrbios ao longo das linhas de trem. Quiosques e outros pontos onde os negros e os pobres comerciavam foram queimados pela classe média que, indignada, protestava contra aquilo que considerava uma vergonha. "A cidade é ainda um povoado africano! Precisamos acabar com essa miséria", escrevia o jornalista Luís Edmundo, retratando o Rio de Janeiro de sua época.

Ao importar o modelo europeu de vida, combatia-se a herança africana em nossa cultura, vista como exemplo de primitivismo e atraso. Os valores da ordem, da higiene, da moda, dos hábitos comedidos se chocavam com os da africanidade expressos em suas danças, em sua moda de cores vivas, em sua comida apimentada enchendo de fumaça as ruas, e, principalmente, em sua religião, onde os deuses eram recebidos no êxtase do transe produzido por danças sensuais, músicas agitadas e numa alegria estapafúrdia que envolvia o consumo de comidas exóticas e também de bebidas alcoólicas.

Instalava-se o conflito entre o modelo de país que as elites desejavam adotar publicamente e a realidade que o negava, pois, mesmo aprendendo francês e tocando piano, a "gente de bem" da época não deixava de misturar as polcas e modinhas européias com o ritmo quente e malicioso dos africanos, dos lundus e maxixes que se tocavam às escondidas nos salões das famílias mais respeitadas.

Diante desse conflito, dirigentes e intelectuais nesse período questionavam a possibilidade de transformar o Brasil em uma nação moderna,"civilizada", tendo como herança o sangue africano, vivendo o país preso a hábitos e crenças primitivas, como o candomblé, que proliferava pelas cidades.

Para responder a essa pergunta, a ciência entrou em ação aplicando aqui as teorias racistas e evolucionistas produzidas na Europa em fins do século XIX, que prometiam explicar por que algumas raças e culturas eram mais"atrasadas"do que outras.

O médico Raimundo Nina Rodrigues foi o primeiro a se interessar pelo estudo das religiões afro-brasileiras. Para escrever seu trabalho pioneiro nesse campo — *O animismo fetichista dos negros bahianos* (publicado no Brasil em forma de artigos em 1896, e na França em forma de livro em 1900), visitou inúmeros terreiros de candomblé situados em Salvador, uma das principais cidades brasileiras na difusão do candomblé. Neles presenciou vários rituais e pôde obter grande quantidade de informações sobre o culto e o transe das divindades africanas, até então raramente descritos. Na verdade, interessou-se pelas religiões afro-brasileiras porque estava empenhado em mostrar que essa religiosidade continha um aspecto doentio (considerava o transe, por exemplo, uma forma de histeria).

Para ele, o fato de a religião do africano e a de seus descendentes ser politeísta (que acredita em vários deuses) e animista (atribuir alma, vida, a objetos inanimados) demonstrava a inferioridade do negro em relação ao branco cuja religião, monoteísta (que acredita num único deus), exigia abstrações mais sofisticadas do pensamento.

Nina Rodrigues concluiu, então, que o Brasil jamais chegaria a ser um país como os da Europa, onde a raça negra não exerceu influência.

Como se percebe, em conseqüência desse ideal de civilização branca, moderna e cientificista, os negros foram sendo expulsos da vida social de nossas cidades ou responsabilizados "cientificamente" pelo nosso atraso cultural, tendo de sobreviver material e culturalmente, ora introjetando os preconceitos de que eram vítimas, ora enaltecendo seus valores, afirmando suas diferenças, e buscando nelas formas de se articularem alternativamente aos padrões do mundo branco dominante. Os terreiros que, como vimos, estavam presentes nas cidades brasileiras desde o período colonial, tornaram-se também núcleos privilegiados de encontro, lazer e solidariedade para negros, mulatos e pobres em geral, que encontraram neles o espaço onde reconstituir suas heranças e experiências sociais, afirmando sua identidade cultural. E a religião, restituindo algum conforto espiritual e esperança para grupos tão perseguidos e estigmatizados, pôde desempenhar seu papel clássico que é o de tornar o sofrimento suportável e fazer da fé uma forma de prosseguir mesmo diante da dissolução do mundo ao redor.

A família-de-santo e a organização social dos terreiros

A família-de-santo foi a forma de organização que estruturou os terreiros onde negros e mulatos, destituídos de um grupo de referência pela escravidão, se reuniam, estabelecendo vínculos baseados em laços de parentesco religioso. Essa forma de organização persiste até hoje.

A tradição oral do candomblé diz que sempre houve a família-de-santo como forma de organização dos cultos aos deuses africanos no Brasil.

É difícil estabelecer a época em que as primeiras famílias-de-santo se formaram. Pelo que se sabe, através da história oral narrada pelos adeptos, parece terem sido os africanos de uma mesma etnia os fundadores dos primeiros terreiros, onde iniciaram outros negros africanos, provenientes da sua etnia ou de outras. Com o passar do tempo, e com o ingresso na religião de crioulos, mulatos e finalmente de brancos, a família-de-santo foi assim perdendo sua característica étnica e passou a ligar, por vínculos religiosos, os vários terreiros fundados pelas gerações seguintes às gerações dos africanos.

É pela iniciação que uma pessoa passa a fazer parte de um terreiro e de sua família-de-santo, assumindo um nome religioso (africano) e um compromisso eterno com seu deus pessoal e ao mesmo tempo com seu pai ou mãe-de-santo. Assim, um adepto, ao se iniciar, nasce para a vida religiosa como "filho" espiritual do seu iniciador, o pai ou a mãe-de-santo. Tendo o iniciado um pai ou mãe-de-santo, terá também irmãos/irmãs-de-santo (os iniciados por seu pai-de-santo), tios e tias-de-santo (os irmãos/irmãs de seu pai-de-santo), avô e avó-de-santo (pai ou mãe-de-santo do seu pai-de-santo) e assim sucessivamente. A esses "parentes" religiosos

Discoteca Oneyda Alvarenga/Centro Cultural São Paulo

Família-de-santo de Apolinário Gomes da Mota
(Recife)

devem-se a consideração, o respeito, o amor e a obediência que, supõe-se, deveriam existir entre membros de qualquer família; ou ainda mais, pois são pessoas unidas por vínculos sagrados.

A família-de-santo, além de "irmanar" os que pertencem a uma mesma casa de candomblé, estabelece ligações de parentesco entre terreiros "parentes" de uma mesma família fundadora.

Um exemplo desses vínculos familiares sagrados pode ser dado pelo terreiro Ilê Iyá Nassô (Casa de Mãe Nassô), conhecido popularmente como Casa Branca do Engenho Velho, localizado em Salvador.

Este terreiro, até onde se sabe, foi fundado no século XIX por três ex-escravas iorubás, cujos nomes africanos eram Adetá, Iyakala e Iyanassô, vindas da cidade de Keto. Essas mulheres pertenciam à Irmandade Nossa Senhora da Boa Morte, uma ordem exclusiva de mulheres nagôs, existente em Salvador. Não se sabe ao certo qual delas teria sido a mãe-de-santo ou se as três se revezaram no poder e direção do terreiro. Com a morte dessas primeiras fundadoras, a chefia da casa teria sido transferida para Marcelina da Silva, cujo nome de iniciada era Obatossí. Após a morte de Marcelina, uma rivalidade entre duas candidatas à sucessão, Maria Júlia da Conceição e Maria Júlia Figueiredo, deu origem à saída da primeira, que fundou o terreiro Iya Omi Axé Iyamase, conhecido popularmente como terreiro do Gantois, nome do local onde este se localizou, em Salvador. Foi como chefe desse terreiro que Mãe Menininha (Escolástica Maria de Nazaré), a quarta mulher a ocupar esse posto, tornou-se famosa; sua

Discoteca Oneyda Alvarenga/CCSP

Pai Joãozinho da Goméia (acima) e Mãe Menininha do Gantois, a mais conhecida e homenageada mãe-de-santo brasileira.

morte, em 1986, foi vista como o fim das gerações das grandes mães-de-santo baianas. Foi também nesse terreiro, em fins do século XIX, que Nina Rodrigues desenvolveu suas pesquisas sobre o candomblé.

Uma segunda dissidência no Engenho Velho (posterior à que resultou na saída da mãe-de-santo fundadora do Gantois) levou Eugênia Ana Santos, brasileira filha de africanos, auxiliada por Joaquim Vieira da Silva, um africano chegado de Recife, a fundar, em 1910, o terreiro Axé Opô Afonjá, localizado em São Gonçalo do Retiro, também em Salvador.

Com o crescimento da família-de-santo formada por esses três terreiros, outros foram aparecendo, como o de Nossa Senhora das Candeias, fundado no Rio de Janeiro por Mãe Nitinha, filha-de-santo do Engenho Velho (cf. Carneiro, 1978; Lima, 1977; Verger, 1981).

Esses terreiros, saídos do Engenho Velho, formaram uma imensa família-de-santo, composta por várias gerações de sacerdotes que se sucederam ao longo de quase duzentos anos de história comum. Como esses, outros terreiros, fundados à mesma época ou mais recentemente, em Salvador ou em outras cidades brasileiras, expandiram continuamente o candomblé pelo país.

No Brasil, também a hierarquia religiosa teve de considerar o contexto histórico em que se encontrava o culto aos deuses africanos.

Na África, o controle da religião geralmente ficava nas mãos de sacerdotes específicos ou de famílias encarregadas de cultuar certos deuses, fazer-lhes oferendas e iniciar as pessoas para que os incorporassem nas festas e comemorações. Entre os iorubás, por exemplo, a adivinhação era função dos *babalaôs*, que cultuavam o deus Ifá, divindade capaz de predizer o futuro através dos jogos adivinhatórios. O conhecimento das ervas utilizadas em remédios ou em vários rituais era uma atribuição do *olossaim*, cultuador do orixá Ossaim, deus das folhas. Xangô, que fora rei da cidade de Oyó e depois divinizado como senhor dos raios e trovões, era cultuado pela família real dessa cidade.

O culto tinha, portanto, um caráter familiar, exclusivo de uma linhagem, de um clã ou mesmo de um grupo de sacerdotes. Os templos africanos restringiam-se, por esse motivo, ao culto de apenas uma ou poucas divindades. Os deuses iorubás, por exemplo, eram cultuados principalmente em suas cidades: Xangô em Oyó; Oxóssi em Keto; Oxum em Ipondá e Oxobô, e assim por diante.

No Brasil, essa estrutura religiosa não pôde se repetir. Como vimos, a escravidão separou famílias e etnias trazendo escravos de lugares diferentes, com cultos e conhecimentos diferentes em relação aos segredos rituais de sua religião. Somado a isso, o extremo rigor da perseguição aos cultos africanos no Brasil não permitiu que os templos pudessem se multiplicar ao ponto de se dedicar ao culto exclusivo de apenas um orixá.

Por esses motivos, os terreiros tiveram de agrupar o culto a várias entidades, inclusive as de etnias diferentes. Devido à conversão dos negros ao catolicismo e ao contato cultural com os índios, o culto aos deuses africanos somou-se ao dos santos católicos e ao das divindades indígenas.

A organização social dos terreiros estruturou-se a partir de uma hierarquia de cargos e funções que teve de ser refeita para reunir, num mesmo templo, diferentes modelos de religiões africanas. O pai-de-santo, por exemplo, tornou-se a figura central assumindo várias funções, como a de babalaô.

A organização espacial dos terreiros, ao reunir em um mesmo espaço o local de moradia e de culto dos negros, reintroduziu, em escala pequena, os padrões africanos.

Na África, principalmente entre os iorubás, as famílias extensas moravam em habitações coletivas chamadas *egbes* ou *compounds*. O *compound* era um conjunto de casas pequenas construídas lado a lado na forma de um quadrado ou retângulo. As portas e janelas das casas ficavam voltadas para o pátio interno do conjunto, lugar onde se dava o convívio social da família, e que se ligava ao lado externo por um corredor. A proteção espiritual do *compound* era assegurada pelo altar de Exu, localizado nas proximidades da entrada do conjunto, e pelas divindades dos núcleos familiares que o formavam. Os mortos eram sepultados e cultuados no interior do *compound* (cf. Cunha, 1985).

No terreiro de candomblé os negros reproduziram no nível mítico alguns desses padrões de moradia e de culto. Exu continuou guardando a entrada dos terreiros. Os orixás, com seus quartos individuais, sintetizaram a divisão de culto por família. O culto aos mortos também permaneceu no quarto de balé ou de egun (espírito dos mortos). E o barracão do terreiro, funcionando como espaço de encontro religioso e da realização

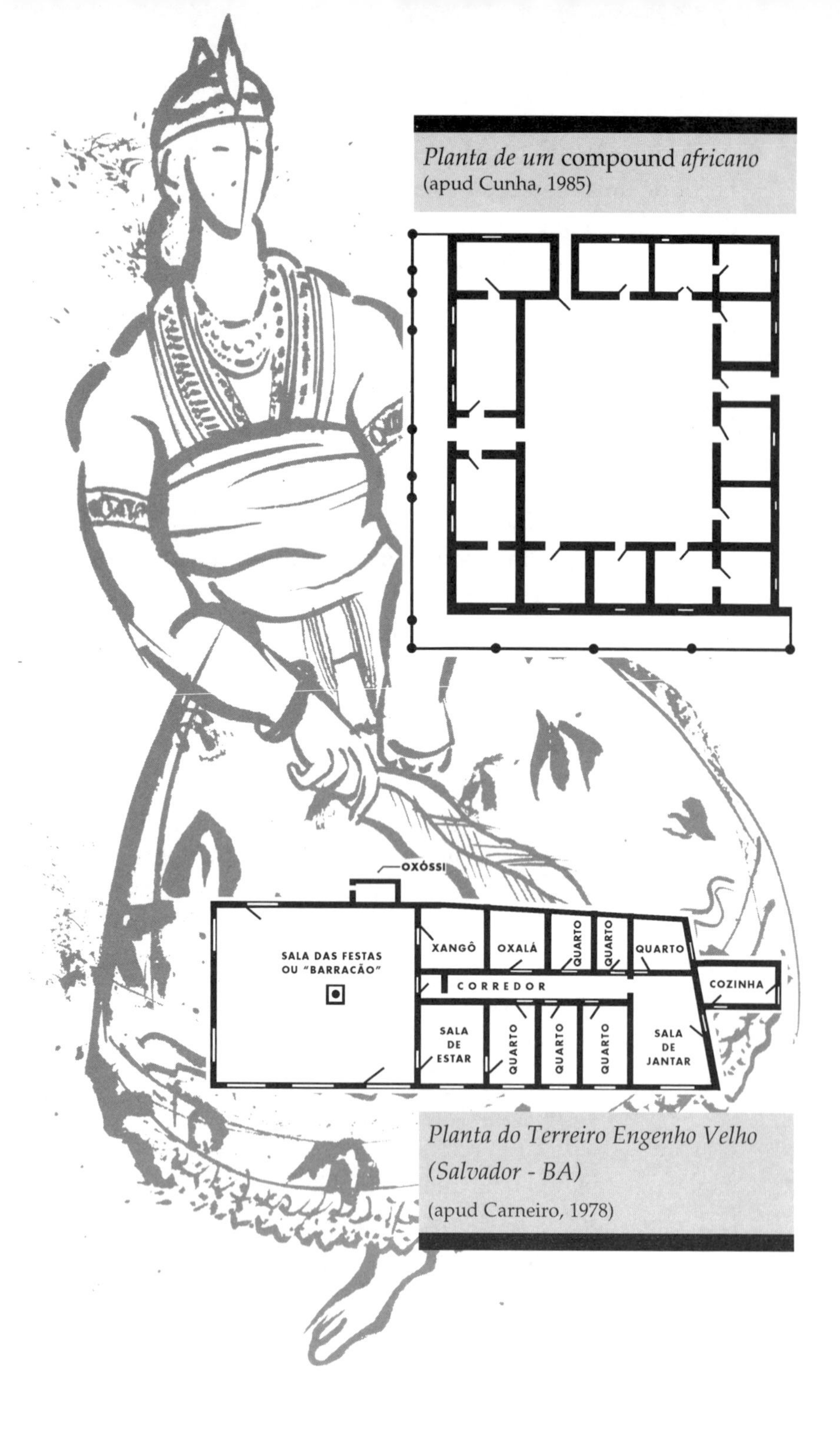

Planta de um compound *africano*
(apud Cunha, 1985)

Planta do Terreiro Engenho Velho (Salvador - BA)
(apud Carneiro, 1978)

das festas públicas, reproduziu o pátio interno do *compound*.

AS NAÇÕES DO CANDOMBLÉ

No candomblé, a forma de cultuar os deuses (seus nomes, cores, preferências alimentares, louvações, cantos, dança e música) foi distinguida pelos negros segundo modelos de rito chamados de nação, numa alusão significativa de que os terreiros, além de tentarem reproduzir os padrões africanos de culto, possuíam uma identidade grupal (étnica) como nos reinos da África.

Os sudaneses foram os grupos que predominaram no século XIX, época em que as condições urbanas, históricas e sociais de perseguição aos cultos diminuíram em relação ao período colonial, no qual os bantos foram majoritários. Devido a essas e outras condições, a estrutura religiosa dos povos de língua iorubá forneceu ao candomblé sua infra-estrutura de organização influenciada pelas contribuições dos demais grupos étnicos. Desse processo resultaram os dois modelos de culto mais praticados: o rito jeje-nagô e o angola.

O rito jeje-nagô

Esse rito, que abrange as nações nagôs (queto, ijexá, etc.) e as jejes (jeje-fon e jeje-marrin), enfatiza o legado das religiões sudanesas. Segundo seus praticantes, é considerado mais puro ou superior aos demais porque nele foram preservadas, com maior fidelidade, as origens africanas. A noção de "pureza" e de "deturpação" no candomblé é assunto bastante polêmico, e a idéia da "superioridade nagô", difundida inclusive pelos principais estudiosos das religiões afro-brasileiras, tem sido atualmente bastante criticada e revista (cf. Dantas, 1988; Gonçalves da Silva, 1992).

Nos terreiros onde o rito jeje-nagô é praticado, geralmente cultuam-se orixás, voduns, erês (espíritos infantis) e caboclos (espíritos indígenas). Os terreiros onde prevalece o culto aos orixás são popularmente conhecidos como candomblé queto; os de culto aos voduns são chamados de candomblé jeje. Nos terreiros partidários da noção de "pureza" ritual, o culto aos caboclos, assim como o sincretismo com os santos católicos, tem sido malvisto e em muitos casos abolido.

Nessa nação os atabaques são percutidos com pequenas varinhas (os aguidavis); canta-se para os orixás principalmente em dialeto africano e segundo seus ritmos característicos como o adarrum, agueré, bravum, ijexá, sató e vamunha (cf. Amaral & Gonçalves da Silva, 1992).

O rito angola

Esse rito, que abrange principalmente o cerimonial congo e cabinda, procura enfatizar a herança das religiões bantos. Essa nação, embora seja a mais popular e a mais praticada pelo povo-de-santo, é vista por membros de outras nações como deturpada, pois possui um panteão bem mais abrangente. Cultua, além dos inquices (deuses dos bantos), os orixás, os voduns, os vunjes (espíritos infantis) e os caboclos. Nos terreiros dessa nação, chamados de candomblé de angola, os atabaques são percutidos com as mãos e as cantigas possuem muitos termos em português. Seus ritmos característicos são a cabula, o congo e o barravento ou muzenza (cf. Amaral & Gonçalves da Silva, 1992).

O candomblé de angola, pelo grande afluxo e dispersão dos bantos no Brasil, difundiu-se por quase todo o país. Em alguns estados, em fins do século XIX, o candomblé de angola, sempre aberto às influências católicas e ameríndias, recebeu nomes próprios como cabula, no Espírito Santo, macumba, no Rio de Janeiro, e candomblé de caboclo, na Bahia. É claro que esses cultos também foram permeáveis à influência jeje-nagô e muitas vezes não sabemos ao certo qual delas predominou.

Ainda que os terreiros, como vimos, estejam divididos por nação (associadas aos grupos étnicos africanos), não significa, entretanto, que eles pratiquem um culto igual ao praticado por essas mesmas nações na África, pois, como vimos, as religiões africanas sofreram um sincretismo entre si e com as práticas cristãs e indígenas. A referida Mãe Eugênia Ana Santos, de que falamos na fundação do Axê Opô Afonjá, dizia que sua nação de candomblé era "nagô puro". Porém ela mesma era descendente de africanos gruncis, povo da savana, que não mantivera contato com os iorubás até o tráfico de escravos (cf. Lima, 1977, p. 20).

Assim, se na origem as nações de candomblé guardaram algum vínculo com a etnia de seus praticantes, porque nelas se cultuavam os ancestrais divinizados das linhagens e dos clãs, com o passar do tempo isso foi se transformando, principalmente com o ingresso na religião dos crioulos (negros nascidos no Brasil), dos mulatos e, finalmente, dos brancos, que nenhum vínculo de parentesco tinham com a África. A ancestralidade africana, como critério para pertencer ao culto, foi abolida, e os orixás tornaram-se deuses adorados por toda uma população que passou a incorporá-los, conhecer seus mitos e fundamentos (segredos rituais) e tê-los como suas entidades espirituais regentes, independentemente de sua cor ou origem.

CAPÍTULO 3

O panteão e as denominações regionais das religiões afro-brasileiras

Na constituição do panteão das religiões afro-brasileiras, o sincretismo desempenhou um papel fundamental. Historicamente, a associação entre os deuses das várias etnias dos negros já ocorria antes de eles serem trazidos para o Brasil. Entre os vários fatores que contribuíram para essa associação estão as semelhanças existentes entre o conceito de orixá dos iorubás, de vodum dos jejes e de inquice dos bantos. Todas essas divindades eram vistas como forças espirituais humanizadas, com personalidades próprias, características físicas, domínios naturais, e algumas viveram na terra antes de se tornarem espíritos divinizados. A possibilidade dos devotos de incorporá-las para que pudessem dançar e receber homenagens foi outra característica que aproximou seus cultos.

Essas religiões africanas também tinham em comum a crença num ser supremo, chamado de Olodumarê entre os iorubás, de Mavu e Lissa entre os jejes e de Zambi entre os bantos. Esse ser supremo criou a natureza e as divindades intermediárias que estão acima dos homens. Neste sentido, os deuses africanos se aproximavam dos santos católicos, que foram santificados em função de suas vidas na terra (marcadas pela virtude, valentia, heroísmo, resistência à dor, etc.) e considerados intermediários entre os homens e Deus.

Essas semelhanças entre os deuses africanos e entre estes e os santos católicos deu origem aos sincretismos que em cada região e época escolheram traços para aproximar as divindades. Vejamos algumas dessas aproximações entre os deuses africanos e os santos católicos.

Deuses africanos e santos católicos

EXU, orixá mensageiro entre os homens e os deuses, é uma das figuras mais polêmicas do candomblé. Desde sua origem na África, está associado ao poder de fertilização e à força transformadora das coisas. Nada se faz, portanto, sem sua permissão. Exu, quando não é solicitado diretamente, é quem conduz o pedido dos homens para os outros deuses. Entre os objetos que o representam está o ogó, instrumento de madeira esculpido em forma de pênis e adornado com cabaças e búzios que representam os testículos e o sêmem.

Espírito justo, porém vingativo, Exu nada executa sem obter algo em troca e não esquece de cobrar as promessas feitas a ele. Um mito iorubano conta que dois amigos esqueceram de fazer as oferendas devidas a Exu.

Este colocou então na cabeça um chapéu pintado de um lado de vermelho e de outro de branco. Ao passar entre os dois amigos cumprimentou-os e prosseguiu. Os amigos intrigados se questionaram: "Quem seria o andarilho com aquele chapéu vermelho?". O outro retrucou: "Não, o chapéu era branco". Discutindo a respeito da cor do chapéu, os amigos começaram a brigar até se matarem... (cf. Verger, 1985).

O dia de Exu é a segunda-feira, dia das almas no calendário católico, e sua comida preferida é o galo, farofa de dendê, pimenta e cachaça. Com essas atribuições é fácil de imaginar por que o culto a Exu era visto como demoníaco pela Igreja já na África e no Brasil colonial. A associação dessa divindade com o demônio, que era invocado nas orgias sexuais das bruxas da Idade Média, deu-lhe feições de diabo com chifres, rabo e patas de bode no lugar das mãos. No rito jeje o deus mensageiro é Elebará e no rito angola é Aluviá (masculino) e Pombagira (feminino).

OGUM é o orixá da guerra e do fogo. Conhecido também como ferreiro, é uma espécie de herói civilizador africano na medida em que conhece os segredos da forja necessários para a fabricação de instrumentos agrícolas e de guerra. Por isso, seus símbolos são a espada e ferramentas como a enxada e a pá. No mito, Ogum teria sido o filho do rei Odudua, fundador da cidade de Ifé (o principal centro divulgador da cultura iorubana da África) e conquistador de vários reinos. No Brasil, suas virtudes para o combate o aproximaram dos santos guerreiros, como Santo Antônio, que já no século XVI era considerado protetor dos portugueses contra os invasores luteranos. Santo Antônio recebeu diversas honrarias militares nas províncias brasileiras; foi alistado como soldado, chegando inclusive a ser promovido a capitão pelo governador da Bahia em 1705 (cf. Verger, 1981, p. 27).

Outro sincretismo de Ogum foi com São Jorge, ocorrido principalmente no Rio de Janeiro. Esse santo guerreiro, retratado sobre seu cavalo, de onde combate e vence com uma lança um dragão, era também venerado pelo exército. Na guerra do Paraguai, na qual lutaram muitos negros, atribuiu-se à proteção de São Jorge (e, portanto, a Ogum) a vitória dos brasileiros na batalha de Humaitá. No rito jeje, corresponde a Ogum o vodum *Doçu*, filho de rei, tido como cavaleiro que dança usando um chicote e também sincretizado com São Jorge. No rito angola, o deus guerreiro é *Incoce* ou *Roxo Mucumbe*.

OXÓSSI é o orixá da mata. Caçador, retira dela seu sustento e o de sua tribo. Na África era cultuado pelas famílias reais da cidade de Keto, da qual fora rei. No Brasil tornou-se padroeiro dessa nação e uma das divindades mais populares do candomblé. Em alguns mitos, Oxóssi e Ogum aparecem como irmãos, lembrando que também era função dos caçadores combaterem os inimigos. No rito jeje o deus da caça é *Azacá*. No rito angola é *Mutacalombo* e *Congombira*. Na Bahia, Oxóssi foi sincretizado com São Jorge, por ser esse santo um "caçador de dragões". No Rio de Janeiro, foi associado com São Sebastião, talvez pelo martírio desse santo, que é representado amarrado a uma árvore e com o corpo cravado por flechas. Em Pernambuco, o deus africano

Foto Rita de Cássia Amaral

Oxóssi dançando com seus símbolos sagrados: o ofá (arco e flecha) e o eruquerê (chicote feito com rabo de boi).

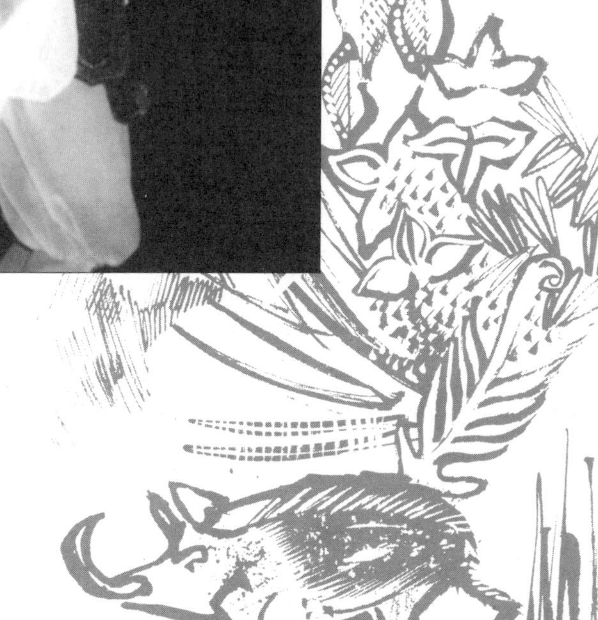

da caça é visto como São Miguel, o anjo "caçador de demônios", que os vence com uma espada.

OBALUAIÊ, também conhecido por *Omolu* ou *Xapanã,* é o temível orixá das epidemias, da varíola e demais doenças contagiosas e de pele. Obaluaiê traz no próprio corpo as marcas das doenças que carrega. Por este motivo veste-se com um chapéu em forma de manto feito de palha-da-costa (fios desfiados de dendezeiro) para que ninguém veja seu corpo. No Brasil, o culto a Obaluaiê revestiu-se de grande seriedade e temor devido aos poderes que lhe são atribuídos de curar ou de espalhar a peste.

No período colonial do Brasil, devido à grande incidência de doenças contagiosas a que estavam expostos os escravos e a população em geral, seu culto confundiu-se com o dos santos católicos protetores dos homens contra os males físicos. Seu sincretismo mais frequente foi com São Lázaro, que traz o corpo coberto por chagas. Para obter a proteção de Obaluaiê e de São Lázaro, nas igrejas desse santo, em Salvador, todas as segundas-feiras os devotos do candomblé costumam espalhar pipocas pelo chão, o alimento preferido de Obaluaiê, que lembra as marcas deixadas pela varíola em sua pele. Obaluaiê também foi sincretizado com São Roque, santo que dedicou sua vida a tratar dos doentes empesteados. Conta-se que São Roque, tendo contraído o vírus da peste, retirou-se para uma choupana onde um cachorro das imediações todos os dias lhe levava um pão para o seu sustento. Curado, milagrosamente, volta para sua cidade natal onde por injustiça é perseguido e preso, vindo a morrer no cárcere. No rito jeje

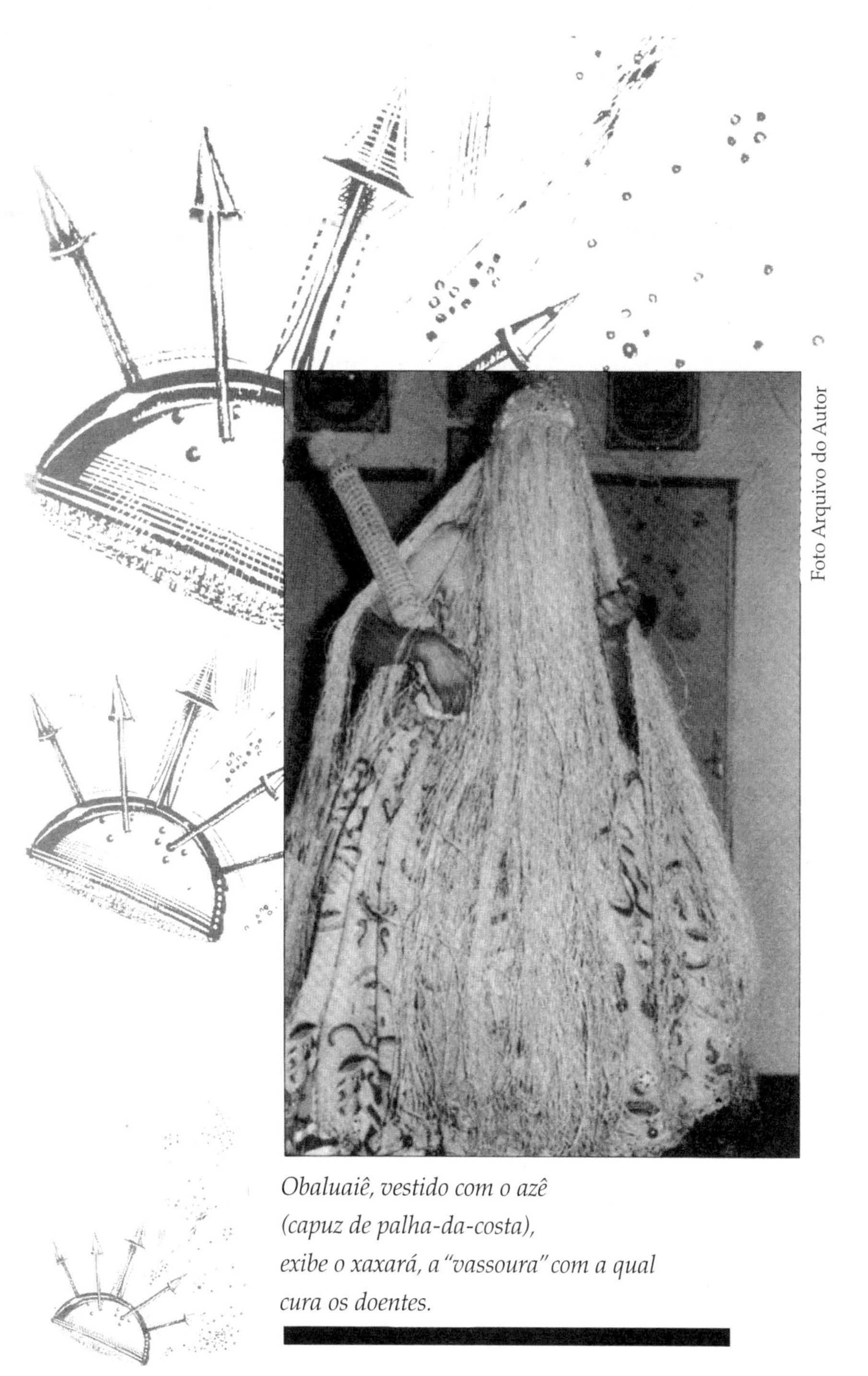

Foto Arquivo do Autor

Obaluaiê, vestido com o azê (capuz de palha-da-costa), exibe o xaxará, a "vassoura" com a qual cura os doentes.

o deus das doenças é *Acossi Sapatá*, e no rito angola é conhecido, entre outros nomes, por *Cavungo* ou *Cafunã*.

OSSAIM é o deus das folhas, das ervas e dos medicamentos feitos a partir delas. Seu domínio é o mesmo de Oxóssi, a mata. Pela importância litúrgica que têm as folhas no candomblé (na louvação dos orixás, na preparação de banhos rituais, etc.) e pelos seus poderes medicinais, o culto a Ossaim desempenhou um papel fundamental no desenvolvimento do candomblé. Tido muitas vezes como divindade que possui apenas uma perna, Ossaim foi associado com alguns "encantados" dos mitos indígenas, como o caipora indígena e, posteriormente, o saci-pererê, que também possuem apenas uma perna e habitam as matas brasileiras. No rito angola o inquice das folhas é chamado de *Catendê* e no rito jeje é *Aguê*. O sincretismo de Ossaim no catolicismo é muito variado. Pode aparecer sincretizado com São Benedito, São Roque e São Jorge.

XANGÔ é o orixá que em sua vida na terra foi rei de Oyó, uma das principais cidades de língua iorubá. Nos mitos aparece como senhor dos raios e do trovão, que solta fogo pela boca. Seu símbolo é o machado de duas faces e normalmente quando seus filhos o incorporam nos candomblés usam uma coroa mostrando a condição de rei desse orixá. Os negros associaram-no a São Jerônimo, que é retratado como um velho imponente sentado ao redor de livros e tendo a seus pés um leão, símbolo da realeza entre os iorubás. No rito jeje o vodum *Badé-Quevioso* é um dos responsáveis pelo controle dos astros, dos raios, dos trovões e das tempestades.

Xangô, orixá que foi rei, sendo coroado durante uma festa em sua homenagem.

Geralmente é festejado no dia de São Pedro, com quem também é sincretizado por ser esse santo católico o "porteiro do céu" e ser retratado nas nuvens. No rito angola seu nome é *Zaze*.

OXUM é a deusa iorubana da água doce, dos lagos, das fontes e das cachoeiras. Na África, está relacionada com a fertilidade das mulheres e com a riqueza dela decorrente, já que é pela procriação que se garante a continuidade das famílias e a subsistência das comunidades. Por essas características, seu culto no Brasil foi somado à devoção católica a Nossa Senhora da Conceição. O correspondente a Oxum no rito jeje é *Eowa* ou *Aziritoboce*. E no rito angola é *Quissambo* ou *Samba*.

IEMANJÁ é a deusa das águas, tida como mãe de todos os outros orixás. Na África era divindade de um rio de água doce, porém, para fugir de seu marido, desembocou no mar, onde vive junto de sua mãe Okun. No Brasil é cultuada sobretudo no mar, sendo associada com outros "encantados" das águas, de origem indígena. Daí ser louvada também como Rainha do Mar, Janaína, Mãe D'água, Sereia, Iara, etc. No rito jeje a divindade da água salgada é *Abé*, representada pela estrela-guia que caiu no mar. No rito angola o mar é representado por *Mãe Danda* (*Dandalunda*) ou *Quissimbe*.

A festa de Iemanjá, quando é costume dos devotos levar flores, perfumes e outros presentes ao mar, tem reunido milhares de pessoas e vem sendo praticada desde o século passado em praias, diques, fontes e lagos ao longo de quase todo o litoral brasileiro e em várias cidades do interior. Devido à relação de Iemanjá com a maternidade, seu culto no Brasil foi aproximado ao de Nossa Senhora em suas várias louvações. Na Bahia e no Rio Grande do Sul a festa dessa deusa é realizada em 2 de fevereiro, dia de Nossa Senhora dos Navegantes e das Candeias. No Rio de Janeiro e São Paulo o culto ocorre no dia 8 de dezembro, dia de Nossa Senhora da Conceição, ou no dia 31 de dezembro, na passagem do ano, quando se acredita que a água tenha forças benéficas trazidas por Iemanjá para propiciar um ano novo positivo.

IANSÃ ou *OYÁ* é a deusa iorubana dos ventos, dos raios e das tempestades, domínio que divide com seu marido Xangô. Segundo o mito, o culto aos mortos (chamados de egungun) também está relacionado a Iansã, que preparou roupas especiais para vesti-los de modo que pudessem voltar à Terra e falar com os seus descendentes. Sobre o culto a Iansã, a devoção às almas, presente no catolicismo popular, pôde encontrar correspondência na religiosidade dos negros. No sincretismo afro-católico, Iansã também foi associada a Santa Bárbara, que atraiu a fúria de seu pai ao se converter ao catolicismo. Condenada à morte, foi o próprio pai quem lhe cortou a cabeça, ato seguido por terrível tempestade em que um raio atingiu o executor da santa. Desse modo, Santa Bárbara tem a seu favor o poder do raio, dos ventos e da tempestade, como Iansã. Por isso, a imagem de Santa Bárbara, uma jovem mulher com uma espada, foi também associada ao caráter guerreiro de Iansã. No rito jeje a entidade dos trovões é *Sobô*. No rito angola ela é chamada de *Bamburucema* ou *Matamba*.

OXALÁ é o orixá da criação. Foi ele quem modelou com o barro o corpo dos homens sobre o qual Olodumarê (O Ser Supremo) soprou para dar vida. No princípio, Oxalá foi designado por Olodumarê para criar todo o mundo, tendo para isso recebido o "saco da criação" e o poder de realização (axé). Contudo, antes de sair para a sua missão, esqueceu-se de fazer as oferendas a Exu que resolveu se vingar provocando-lhe uma enorme sede. Desesperado, ele se embriaga com vinho de palmeira e adormece. Olodumarê, ao saber do ocorrido, designa Odudua, o segundo deus criado depois de Oxalá, para substituir o orixá embriagado. Odudua espalha, então, a substância do saco da criação sobre a superfície da água até formar um monte. Neste monte coloca uma galinha que, ciscando, vai espalhando continuamente a terra até cobrir a superfície das águas. Foi neste monte que se erigiu a cidade de Ifé (cf. Verger, 1981).

Devido a essas características, o culto a Oxalá foi relacionado com a devoção católica a Jesus, também filho do criador supremo e salvador dos homens na Terra. Exemplo desse sincretismo entre Jesus e Oxalá aparece numa das festas mais populares na Bahia, a lavagem da Igreja do Senhor do Bonfim. Nesse caso a origem desse sincretismo está num mito africano. O velho Oxalá resolveu visitar seu amigo Xangô, rei de Oyó. Após longa jornada, ao entrar nessa cidade, encontrou perdido o cavalo de Xangô. Tentando amansá-lo, foi visto pelos soldados do rei, que logo o tomaram por um ladrão. Oxalá foi atirado na prisão e lá ficou por sete anos. Durante esse período grandes catástrofes

Foto Arquivo do Autor

Oxalá, o velho deus da criação, caminha apoiado no poxorô, o cajado sagrado que o acompanha em suas cerimônias.

acometeram o reino de Oyó: seca, epidemias e esterilidade das mulheres. Xangô consultou então o adivinho e ficou sabendo da prisão injusta de um velho. Ao saber que este era seu amigo Oxalá, como forma de desculpar-se, ordenou que todos de seu reino vestissem roupas brancas (porque branco é a cor de Oxalá) e buscassem água três vezes seguidas para banhar Oxalá. Na lavagem da Igreja do Bonfim, o costume católico de lavar o chão como ato de devoção forneceu aos negros uma ocasião de comemorarem o banho de Oxalá. Assim, até hoje, os adeptos do candomblé, vestidos de branco e carregando na cabeça jarros com água, fazem uma grande procissão até a igreja, onde lavam seu chão com a água dos jarros, homenageando ao mesmo tempo o Senhor do Bonfim e revivendo o mito de Oxalá (cf. Verger, 1981).

No rito jeje a criação ficou a cargo do par *Mavu-Lissa*. Mavu representa o princípio feminino e é completada por Lissa, o princípio masculino, representado pelo Sol. No rito angola a divindade da criação é *Zambi* ou *Lemba*.

Candomblé, batuque e xangô

As religiões afro-brasileiras se desenvolveram praticamente em todos os estados onde houve a presença do negro e de seus descendentes. Fatores como o tamanho da população negra em relação à de brancos e de índios, a influência de determinadas etnias, a repressão ao culto, as condições urbanas e outros, fizeram com que os cultos apresentassem características regionais próprias, sendo alguns conhecidos em uma região e desconhecidos em outras.

Assim, variações regionais do rito jeje-nagô podem ser encontradas por todo o Brasil (em cultos equivalentes ainda que distanciados no espaço e aparentemente sem contatos entre si), como no candomblé da Bahia, no batuque do Rio Grande do Sul e no xangô de Pernambuco (o nome do culto vem do orixá Xangô, muito cultuado nessa região). Com relação a esses cultos, é possível deduzir que uma mesma influência iorubá direcionou o seu desenvolvimento, incorporando a cultura local. Assim, se Ogum na Bahia recebe como oferenda feijão preto, em Porto Alegre seu prato é o churrasco e nos terreiros dessa cidade os homens dançam vestidos com a bombacha, traje típico gaúcho, em vez das calças brancas, comuns nos outros lugares do Brasil.

TAMBOR-DE-MINA

Na região do Maranhão e do Pará, a forte influência dos jejes criou uma forma de culto específica chamada de tambor-de-mina. O termo *mina* é uma referência à procedência dos escravos, aprisionados no forte português São Jorge da Mina, na África Ocidental, antes de embarcarem para o Brasil.

Com exceção de alguns terreiros da Bahia e de Porto Alegre, foi no Maranhão, particularmente em São Luís, que o culto aos voduns, divindades dos jejes, mais se desenvolveu. Na Casa das Minas, terreiro fundado nessa cidade em meados do século XIX, os voduns são cultuados de acordo com as famílias mitológicas às quais pertençam. A família de Davice é formada pelos voduns chamados nobres (reis e rainhas) da corte real do Daomé. É considerada a principal família mitológica do terreiro e hospeda as demais: a família de Savaluno (constituída pelos voduns adorados na região ao norte do Daomé); a família de Dambirá (a dos voduns da terra, das doenças e da peste); e a família de Quevioso e de Aladanu (a dos voduns dos raios, dos trovões, do ar e das águas). Esta última família é considerada de origem nagô (iorubá) pelos jejes, por isso os voduns que a ela pertencem, quando incorporam alguém, não falam, pois teme-se que se eles falassem revelariam segredos dos nagôs aos jejes.

Como se vê, a organização desse terreiro preservou no Brasil as relações históricas estabelecidas entre as etnias na África. Os rituais na Casa das Minas também incluem a devoção aos santos católicos. Antes de homenagear as divindades africanas, os membros do terreiro rezam a ladainha em frente ao oratório cristão. Segundo os adeptos, os santos católicos são tidos como entidades acima dos voduns porque "são puros e nada pedem, mas também estão muito longe e não podem chegar" aos homens pois não "baixam". Os voduns estariam, assim, abaixo dos santos porque "têm algumas falhas e às vezes se irritam" (cf. Ferretti, S., 1988, p. 181). Por isso eles são tidos como o caminho para os homens chegarem aos santos católicos e a Deus.

No tambor-de-mina, divindades não-africanas também são cultuadas, como os "encantados" de diversas origens míticas: os caboclos da mata (como Tabajara e Corre-Beirada); os fidalgos ou nobres portugueses e franceses (como Rei Sebastião e Dom Luís, rei de França); e os turcos ou mouros (como Rei da Turquia). O culto a esse vasto panteão também é chamado de tambor-da-mata ou terecô e geralmente é visto, pelos praticantes do culto aos voduns, como uma reprodução imperfeita das práticas religiosas jejes mais ortodoxas, onde apenas o culto às divindades africanas é admitido, como na Casa das Minas (cf. Ferretti, M, 1993). No Pará, o culto aos voduns, realizado ao lado das entidades da mata, ficou conhecido como babassuê, derivação de batuque-de-Santa-Bárbara (ou barba-suêra), onde essa santa aparece como padroeira de muitos terreiros.

Cabula

Esse culto, assim como os outros cultos descritos a seguir, recebeu forte influência das práticas bantos. Segundo a descrição do bispo D. Nery, a cabula era praticada, na região do Espírito Santo, em fins do século XIX, por negros, mas com a presença de alguns brancos. Hoje em dia esse culto parece ter desaparecido, transformando-se em outras denominações. A reunião dos cabulistas, que ocorria em determinada casa ou mais frequentemente nas florestas, chamava-se *mesa,* sendo as principais a de Santa Bárbara e a da Santa Maria. O chefe de cada mesa tinha o nome de *embanda* e o de seu ajudante era *cambone.* Os adeptos eram conhecidos por *camanás* e a sua reunião formava a engira.

As engiras eram secretas e realizadas à noite. Os cabulistas, vestidos de branco, dirigiam-se a um determinado ponto da mata, faziam uma fogueira e preparavam a mesa (com toalha, velas e pequenas imagens). O embanda entoava um canto preparatório, pedindo licença aos espíritos (Calunga, espírito do mar; Tatá, espíritos benéficos), sendo acompanhado por palmas e por outras cantigas. Durante os ritos, era servido vinho e mastigava-se uma raiz enquanto se sorvia o fumo do incenso, que era queimado num vaso. As iniciações eram feitas nesse momento quando o adepto passava três vezes por baixo da perna do embanda, simbolizando sua obediência ao seu novo pai. Um pó sagrado, *enba,* era soprado para afastar os espíritos inferiores e preparar o ambiente para a tomada do Santé, que significava a incorporação do espírito protetor. Para ter um Santé, era preciso que o iniciado passasse por provas — por exemplo, entrar no mato com uma vela apagada e retornar com ela acesa, sem ter levado meios para acendê-la, e trazendo, então, o nome do seu espírito protetor. Alguns desses espíritos eram conhecidos como Tatá Guerreiro, Tatá Flor da Carunga, Tatá Rompe-Serra e Tatá Rompe-Ponte (cf. Nery, 1963).

Macumba

As macumbas do Rio de Janeiro se aproximavam muito das práticas da cabula. O chefe do culto também era chamado de embanda, umbanda ou quimbanda, e seus ajudantes, cambono ou cambone. As iniciadas eram as filhas-de-santo, por influência do rito jeje-nagô, ou médiuns, por influência do espiritismo. Na macumba as entidades como os orixás, inquices, caboclos e os santos católicos eram agrupadas por falanges ou linhas como a linha da Costa, de Umbanda, de Quimbanda, de Mina, de Cabinda, do Congo, do Mar, de Caboclo, linha Cruzada, etc. (cf. Ramos, 1940, p. 124). Nas sessões de macumba procurava-se cultuar o maior número de linhas possível, pois quanto mais conhecimento o pai-de-santo tivesse sobre elas, mais poderoso era considerado. A abrangência de cultos que sob o termo *macumba* eram conhecidos parece ter sido um dos motivos de sua popularidade e de seu uso indiscriminado para se designar as religiões afro-brasileiras em geral.

Candomblé de caboclo

O culto aos caboclos, tão presentes na religiosidade dos bantos, deu origem ao candomblé de caboclo, considerado por muitos adeptos como uma variação do candomblé de angola, no qual os deuses indígenas assumiram o papel central, com o mesmo *status* dos orixás.

Os caboclos são os espíritos "donos da terra" e representam os índios que aqui viviam antes da chegada dos brancos e dos negros. Quando baixam nos terreiros, vestem-se com cocar de pena, dançam com arco e flecha, fumam charutos e bebem vinho. Geralmente falam um português antigo e quase incompreensível. Muitos deles são extremamente católicos e suas preces e louvações lembram os tempos coloniais de sua catequese. Por serem conhecedores da medicina local e dos segredos da mata, são famosos como curandeiros e feiticeiros.

Os caboclos, apesar de serem brasileiros e ressaltarem essa característica nas suas cantigas (nelas se dizem da "nação brasileira") e nos nomes que carregam (de povos indígenas brasileiros como Tupi, Tupinambá, Aimoré, Guarani), quando narram suas origens se apresentam como habitantes de uma "aldeia mítica" (como "Hungria" e "Visala"), não-localizável no tempo e no espaço. Em alguns casos, seus nomes fazem referências à natureza cultuada pelos índios, como caboclo Sol, Lua Nova, Estrela, Mata Verde, Tomba-Serra, etc.

Os caboclos, além de representarem os espíritos de índios que já morreram e que retornaram à terra como "encantados", podem ser vistos como representantes da população mestiça, proveniente do cruzamento do branco com a índia. São antigos homens do sertão, caipiras, roceiros, com seus hábitos rurais (cf. Santos, 1992, p. 57). Em muitos terreiros, os caboclos são classificados em dois tipos: os "caboclos de pena" (porque usam cocar), e os "boiadeiros", quando seu contato com a cultura dos brancos já descaracterizou seus hábitos originais da aldeia. Em vez do cocar de pena, o boiadeiro veste-se com chapéu de couro, e dança segurando um laço com o qual imita os gestos de laçar o gado.

Catimbó, pajelança e cura

Esses cultos se expandiram principalmente pelo norte do Brasil, na região que vai da Amazônia até Pernambuco, onde a influência do índio se mostrou mais intensa. É muito difícil distinguir fronteiras nítidas entre o catimbó, a pajelança e a cura (ou "mesa de cura"). De qualquer modo, por esses nomes, entre outros, chama-se a religião de caráter essencialmente mágico-curativa, baseada no culto dos "mestres", entidades sobrenaturais que se manifestam como espíritos de índios (caboclos), de animais ou de antigos e prestigiados chefes do culto.

A sessão do catimbó é liderada pelo mestre (o chefe do culto), pela rainha, que o acompanha, e pelos discípulos. Os trabalhos iniciam-se com a "abertura da mesa", que é a defumação das pessoas reunidas ao redor do altar ou de uma mesa (com velas e imagens de santos católicos), feita com a fumaça dos cachimbos. Seguem-se as rezas católicas (pai-nosso e ave-maria) e as danças, que consistem basicamente em agitar o maracá para invocar os espíritos dos mestres, que vão baixando no corpo dos presentes conforme se canta para a linha a que pertençam. Há os mestres indígenas, como Jandaraí, Xaramundi, Caboclo Tupi; os mestres de origem africana (o que demonstra a presença do negro no catimbó), como Pai Joaquim e Mestre Malunguinho; e os mestres de origem católica, como Mestre Santo Antônio. A função básica dos mestres, quando incorporados, é curar doenças, receitar remédios e exorcizar com o poder de seu maracá as "coisas-feitas" e os maus espíritos do corpo das pessoas.

Na pajelança da Região Amazônica, além da incorporação dos espíritos de mestres humanos, outras entidades descem (acredita-se que por uma corda imaginária) e se manifestam no corpo dos praticantes, como o espírito de animais reais (jacarés, cobras, botos, cavalos-marinhos) ou fantásticos (mãe-do-lago, cobra grande). É através da alma do animal, encarnada no pajé, que este fica sabendo as causas das doenças e seus remédios (cf. Cascudo, 1988).

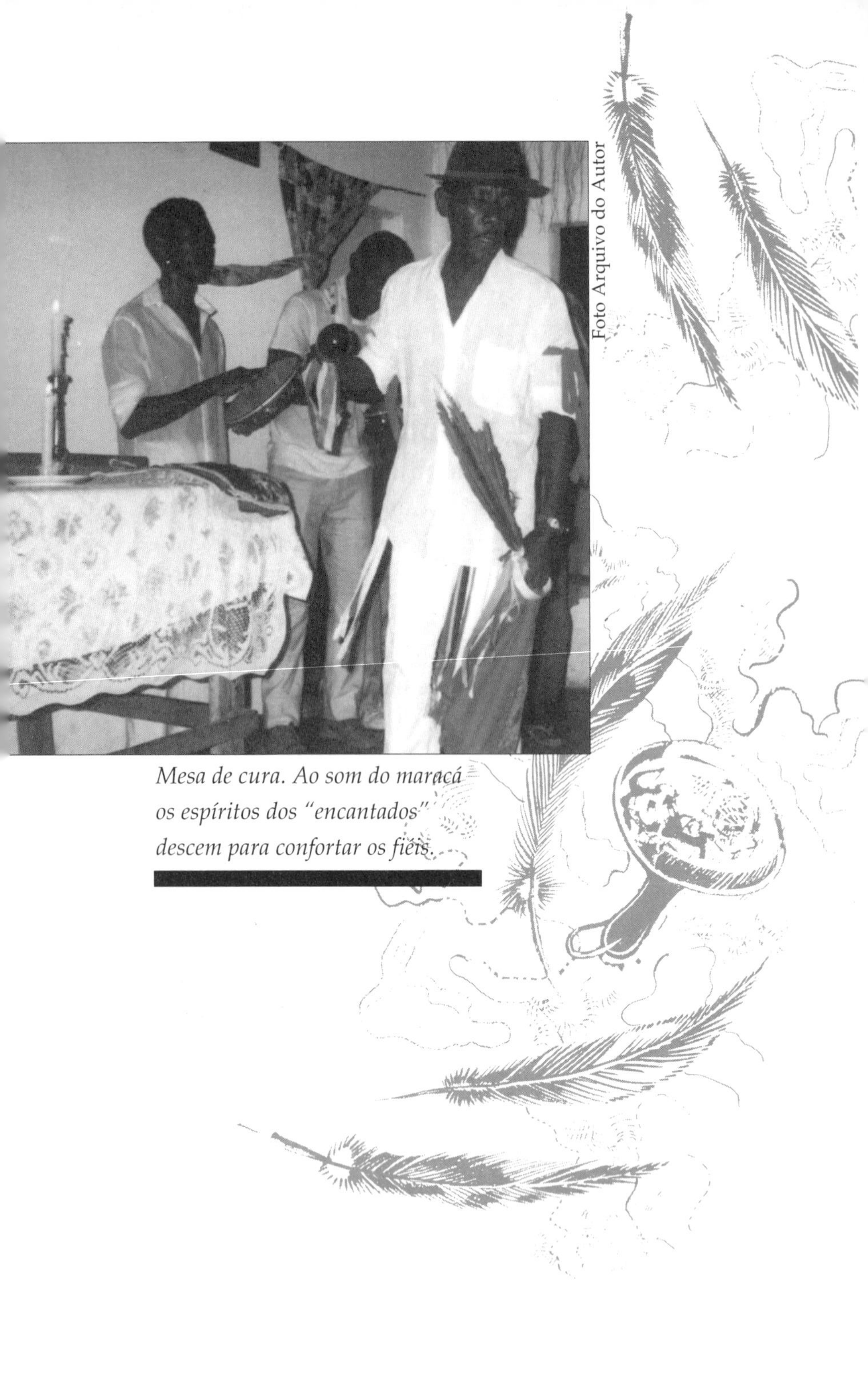

Foto Arquivo do Autor

Mesa de cura. Ao som do maracá os espíritos dos "encantados" descem para confortar os fiéis.

Nesses ritos a utilização da jurema é muito freqüente, pois é através dessa bebida sagrada, feita com a casca da árvore de mesmo nome, que o pajé tem visões e sonhos. Até o século XVIII as reuniões para beber jurema eram vistas como reuniões de feitiçaria e muitos índios foram presos por essa prática (cf. Cascudo, 1988).

Pelas descrições da Santidade do século XVI, parece que o catimbó, a pajelança, a cura e outras crenças similares tiveram aí suas origens. Ao sincretismo inicial entre as práticas indígenas (o uso do maracá, da jurema, do fumo) e o catolicismo devocional aos santos somou-se a crença dos africanos que, trazendo seus orixás e voduns, aumentaram o panteão já bastante vasto dos deuses protetores das florestas (cf. Bastide, 1985).

A imagem do caboclo nas religiões afro-brasileiras — como candomblé de caboclo, catimbó, pajelança, etc. — absorveu muito dos mitos heróicos construídos por nossa literatura indigenista. No romantismo, o índio foi idealizado por nossos escritores que, influenciados pela imagem do "bom selvagem" de Rousseau e de outros autores, atribuíram-lhe sentimentos e valores parecidos com os dos personagens dos romances europeus. Foi o caso dos personagens populares de José de Alencar, como Peri (o herói guarani que se apaixona por Ceci, a filha do fidalgo português) e Iracema (a poética índia tabajara que abandona seu povo para seguir Martim, o colonizador branco). Esses índios e índias, românticos e inocentes, mas também orgulhosos, bravos e guerreiros, representaram na literatura a valorização da aliança entre brancos e índios que, historicamente, foram os primeiros grupos formadores do povo brasileiro.

Além das influências literárias, o caboclo dos cultos afro-brasileiros reproduziu, em muitos sentidos, a imagem do índio transformado em símbolo de nossa identidade pelo movimento nacionalista, deflagrado durante a independência do Brasil, no qual as elites brasileiras passaram a buscar símbolos que pudessem representar nossa singularidade como nação em oposição a Portugal, de quem nos libertávamos.

Um episódio significativo dessa aproximação entre o índio e o caboclo foi a comemoração de um ano da independência da Bahia do domínio português, ocorrida em 2 de julho de 1823. Nessa data, a população, constituída em sua maioria por negros e mulatos, saiu às ruas desfilando com uma carreta enfeitada por ramos de café, fumo e "folha brasileira" (cróton). Durante o desfile, colocaram sobre a carreta um velho mestiço descendente de índios, reforçando assim os "emblemas da independência". Nas comemorações dos anos seguintes, uma imagem de madeira foi construída para representar esse mestiço e o desfile de Dois de Julho tornou-se uma grande festa cívica da Bahia. A figura do mestiço da carreta, enaltecida como emblema da independência e da nacionalidade brasileiras, confundiu-se com a do caboclo divinizado pelas religiões populares, e a participação dos negros e mulatos nas comemorações acrescentou ao seu sentido de festa cívica o de festa religiosa. Nas décadas posteriores, o sentido religioso da comemoração se ampliou e o Dois de

Julho passou a ser uma data de culto ao caboclo, que é homenageado tanto no interior dos terreiros baianos como no próprio desfile cívico, quando os adeptos da religião, vestidos de índios (cocar, tangas de palha e colares), acompanham a procissão com danças e cantos ao som dos atabaques (cf. Santos, J., 1992).

Quadro 1
Correspondência entre os deuses africanos e os santos católicos

Orixá	*Vodum*	*Inquice*	*Catolicismo*
Exu	Elebará	Aluviá Pombagira	Demônio
Ogum	Doçu	Roxo Mucumbe Incoce	SantoAntônio (BA) São Jorge (RJ)
Oxóssi	Azacá	Mutacalombo Congobira	São Miguel (PE) São Jorge (BA) São Sebastião (RJ)
Obaluaiê Omolu, Xapanã	Acossi Sapatá	Cavungo Cafunã	São Roque São Lázaro
Ossaim	Aguê	Catendê	São Benedito São Roque São Jorge
Oxumarê	Bessem Dã	Angorô	São Bartolomeu
Xangô	Badé-Quevioso	Zaze	São Jerônimo São Pedro
Oxum	Aziritoboce Eowa	Quissambo Samba	N. Sra. das Candeias N. Sra. da Conceição N. Sra. Aparecida
Iemanjá	Abé	Dandalunda Quissimbe	N. Sra. da Conceição N. Sra. dos Navegantes
Iansã	Sobô	Bamburucema Matamba	Santa Bárbara
Oxalá	Mavu-Lissa	Zambi Lemba	Jesus Cristo N. Sr. do Bonfim (BA)
Erê, Ibeji (Espíritos Infantis)	Hohó Tobosi	Vunje	São Cosme São Damião

Quadro 2
CLASSIFICAÇÃO DOS ORIXÁS (I)

Orixá	*Elemento natural*	*Domínio, local de culto*	*Atividade humana*	*Atributo, qualidade humana*
Exu	fogo	estrada (caminhos) porta (locais de passagem) encruzilhada cemitério	comunicação	deus mensageiro fecundidade zombeteiro vingativo
Ogum	fogo, ar ferro (metais)	estrada (caminhos)	guerra metalurgia	violência virilidade
Oxóssi	mata	árvores, mata floresta	caça	provedor agilidade
Obaluaiê	terra	cemitérios	medicina	saúde e doença
Ossaim	folha planta	árvores mata floresta	medicina	saúde e doença segredo da magia das plantas
Oxumarê	arco-íris	poço fonte de água	–	serpente sagrada continuidade
Xangô	raio trovão	pedreira pedras de raio	justiça	vaidade, realeza riqueza
Oxum	água doce	rio, lago fonte cachoeira	procriação	fertilidade feminilidade riqueza, amor
Iemanjá	água salgada	mar, praia	procriação	fertilidade maternidade
Iansã	vento raio tempestade	cemitério bambual	–	sensualidade coragem (domínio sobre os mortos) impetuosidade
Oxalá	ar	todos os lugares	criação	criação dos homens paciência sabedoria

Quadro 3
CLASSIFICAÇÃO DOS ORIXÁS (II)

Orixá	*Cor*	*Oferenda alimentar*	*Sacrifício animal*	*Dia*
Exu	vermelho preto	pimenta, álcool farofa com dendê	cabrito, galo frango preto	segunda sexta
Ogum	azul-escuro vermelho	inhame assado feijão preto	cabrito galo	terça
Oxóssi	azul-claro verde	feijão fradinho milho coco	animais de caça (coelho, tatu, etc.)	quinta
Obaluaiê	marrom preto branco	abadô (milho torrado) pipoca	porco	segunda
Ossaim	verde branco	mel fumo	cabrito	segunda quinta sábado
Oxumarê	verde amarelo	aberém (bolo de milho ou arroz)	cabrito galo	terça
Xangô	vermelho branco	amalá (quiabo cozido com farinha)	carneiro cágado	quarta
Oxum	amarelo	omolocum (feijão fradinho e ovos) ipeté (massa de inhame com camarão)	cabra galinha	sábado
Iemanjá	azul-claro	arroz, milho branco	cabra peixe	sábado
Iansã	vermelho marrom rosa	acarajé (bolo de feijão fradinho)	cabra galinha	quarta
Oxalá	branco	acassá (bolo de arroz sem sal), mel	ibí (caracol)	sexta

Quadro 4

CALENDÁRIO DAS FESTAS RELIGIOSAS DO CANDOMBLÉ

Dia/Mês	*Santo católico*	*Divindade*	*Cerimônia*
20 de janeiro	São Sebastião	Oxóssi Caboclo (SP)	Festa de Oxóssi Festa de Caboclo
2 de fevereiro	N.Sra. das Candeias N.Sra.dos Navegantes	Iemanjá	Procissão dos Navegantes Presente de Iemanjá
Quaresma		Oxalá	Lorogum (Encerramento)
23 de abril	São Jorge	Ogum (RJ) Oxóssi (BA)	Feijoada de Ogum Festa de Oxóssi
13 de junho	Santo Antônio	Ogum (BA)	Feijoada de Ogum
24 de junho	São João	Xangô	Fogueira de Xangô
29 de junho	São Pedro	Xangô	Fogueira de Xangô
16 de agosto	São Roque	Obaluaiê	Olubajé
24 de agosto	São Bartolomeu	Oxumarê	Festa de Oxumarê
27 de setembro	São Cosme e São Damião	Erê	Festa de Erê
30 de setembro	São Jerônimo	Xangô	Festa de Xangô
4 de dezembro	Santa Bárbara	Iansã	Acarajé de Iansã
8 de dezembro	N.Sra.da Conceição	Oxum Iemanjá	Ipeté de Oxum Festa das Iabás Festa de Iemanjá/Praia
25 de dezembro	Natal	Oxalá	Águas de Oxalá Pilão de Oxaguiã

Quadro 5
INFLUÊNCIAS E DENOMINAÇÕES REGIONAIS DAS RELIGIÕES AFRO-BRASILEIRAS

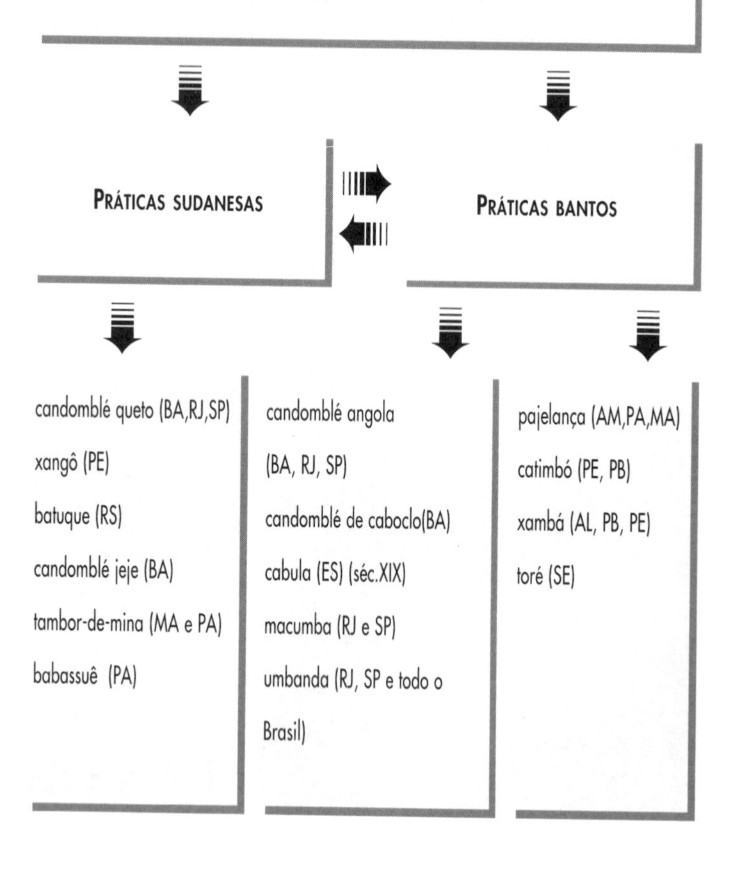

CAPÍTULO 4

Umbanda: uma religião à moda brasileira

A visão depreciativa e preconceituosa, da qual o índio e o negro foram vítimas até o final do século passado, aos poucos foi dando lugar às interpretações menos pessimistas sobre o valor de suas contribuições para a formação da cultura brasileira.

No plano dos movimentos artísticos patrocinados pelas nossas elites, seguiu-se à idealização romântica e conservadora do índio, uma busca realista por nossas raízes, permeada pela denúncia social das condições de vida de negros, brancos e índios.

Na literatura, Aluízio de Azevedo criticou os preconceitos raciais de nossa sociedade (*O mulato*, 1881) e as condições degradantes de vida de negros e pobres nas moradias coletivas urbanas do Rio de Janeiro (*O cortiço*, 1890).

O homem do campo, o sertanejo e o mestiço foram mostrados em sua luta corajosa contra as adversidades do meio, como na comunidade baiana de Canudos, reunida em torno do líder messiânico Antônio Conselheiro, massacrada pelas tropas do exército — episódio documentado em *Os sertões* (1902), de Euclides da Cunha.

O caipira ingênuo, humilde e desamparado, tornou-se famoso na figura de Jeca Tatu, personagem de Monteiro Lobato, autor que, inspirado pelo folclore rural, povoou seus livros de sacis-pererês, caiporas e outras entidades do universo mítico do homem do campo.

A partir do Modernismo de 1922, as elites intelectuais, importando da Europa uma estética de vanguarda, romperam com o formalismo artístico, elegendo radicalmente os tipos populares brasileiros como elementos centrais para a expressão da cultura nacional.

Buscando nas lendas indígenas e no folclore de nosso passado os temas para recontar a história do Brasil, surgiram os poemas nacionalistas como "Pau-Brasil" (1925), de Oswald de Andrade, e a rapsódia *Macunaíma* (1928), de Mário de Andrade. Neste livro, Macunaíma, "o herói de nossa gente", filho de índia tapanhumas que nasce "preto retinto" e depois se torna branco, representa o cruzamento das três raças, enaltecido como a força e a originalidade do povo brasileiro.

Na pintura, pela primeira vez os negros e sua cultura tornam-se temas de vanguarda, sendo retratados em quadros famosos como *A negra* (1923), de Tarsila do Amaral, *Mulatas* (1926) e *Samba* (1926), de Di Cavalcanti, e *Mestiço* (1934), de Portinari.

As religiões afro-brasileiras, como expressões das experiências e tradições dos negros, tornaram-se um tema obrigatório para o entendimento da formação da cultura popular. Jorge Amado, iniciando sua carreira literária com as sagas dos canaviais nordestinos, no romance *Jubiabá* (1935), torna o candomblé nacionalmente conhecido na figura do pai-de-santo Jubiabá, guia espiritual do negro Antonio Balduíno, herói popular dos anseios de integração dos negros à sociedade brasileira.

Na música, Dorival Caymmi, compondo sobre o cotidiano da Bahia, acabou inevitavelmente divulgando o candomblé, do qual fazia parte. Cantando suas composições, Carmen Miranda tornou a Bahia, o Brasil e o candomblé internacionalmente conhecidos.

No plano das teorias sociais e da historiografia brasileira, as visões negativas sobre o Brasil, baseadas na inferioridade racial dos seus elementos formadores, foram sendo deixadas de lado nas primeiras décadas deste século. Em substituição a elas, um espírito nacionalista tomou conta dos intelectuais, que passaram a enaltecer as riquezas brasileiras e a originalidade de nosso povo em relação ao europeu.

As teorias preconceituosas de Nina Rodrigues, entre outros, deram lugar à apologia da miscigenação brasileira. Com a publicação de *Casa-grande e senzala* (1933), de Gilberto Freire, criou-se o mito da democracia racial brasileira. Neste livro, tornado clássico, as contradições entre senhores e escravos do período colonial foram atenuadas e substituídas por uma interpretação na qual se elogiou a adaptação do homem português nos trópicos e a miscigenação entre as raças que deu origem ao caráter benevolente e cordial do homem brasileiro. O Brasil, como paraíso tropical, cheio de potencialidades adormecidas, começa a ser "descoberto" pelas ideologias que apregoavam um futuro de grandeza a partir da valorização do seu passado.

Os estudos centrados nas religiões afro-brasileiras adquiriram novo impulso e nova direção. Arthur Ramos, em *O negro brasileiro*, publicado em 1934, substitui o conceito de raça — usado para desqualificar o negro e sua religiosidade — pelo de cultura — que vê as manifestações religiosas como processos históricos e sociais não subordinados às características biológicas de seus participantes. Pela primeira vez as religiões afro-brasileiras são amplamente investigadas, sendo analisados, além dos terreiros da capital baiana visitados por Nina Rodrigues, os candomblés de outras regiões, os catimbós do Nordeste e as macumbas do Rio de Janeiro e de São Paulo.

Na trilha aberta por Arthur Ramos, a partir da década de 1930, outros pesquisadores foram atraídos para o estudo dos cultos afro-brasileiros. No Recife, Gonçalves Fernandes publicou, em 1937, *Xangôs do Nordeste*, obra escrita num período em que os cultos eram duramente reprimidos pela Seção de Polícia de Costumes e Repressão a Jogos. O antagonismo aos cultos afro nessa época teve várias origens, entre elas a retomada da oposição católica e a perseguição política. A Constituição de 1934, por influência da Igreja, foi promulgada em nome de Deus; o catolicismo voltou a ser a religião oficial do Estado (ato que havia sido revogado pela

Fechados dois centros de "catimbó" na Avenida Norte

Appreendido farto material do culto, her-vas e ... de consultas

...unde quantidade de ervas, algumas
... cheiro insupportavel, e cartas de
...sultas e pedidos.
...estas, os consulentes pediam con-
...os sobre casamento, distribuição de
...ficios aos desaffectos e antigos
...rados, feitiços para casar e fazer
... os amores antigos e para ganhar
...go.
...casa n. 6754, pertencente á ca-
...eira Maria Annunciada Gomes, a
... encontrou um material muito
...pioso.
... necessarios ... ao

... serviam
... catimbó. Assim fora...
trados e appreendidos vario...
com baratas, cobras e rolhas ...
imagens de santos com as f...
bradas, uma imagem do Senho...
maçarico secco ás costas.
Os investigadores recolhera...

Objetos sagrados apreendidos pela polícia em terreiros do Recife na década de 1930. Repressão e intolerância religiosa marcam a história dos cultos afro-brasileiros.

Constituição leiga de 1891); o ensino facultativo da religião católica foi instaurado nas escolas primárias e secundárias; o casamento religioso oficialmente reconhecido e a assistência católica autorizada nas instituições do governo.

Com o golpe de Estado dado por Getúlio Vargas em 1937, os estados foram governados por interventores que, temerosos com as ações de movimentos antiditadura, ou do Partido Comunista, aumentaram o controle social e político sobre as camadas populares e as elites liberais, que se identificavam com os seus anseios. Muitos estudiosos, considerados inimigos políticos, foram presos nesse período, como Gilberto Freyre. O baiano etnólogo e folclorista Edison Carneiro, autor de importantes estudos sobre os cultos de origem africana, sobretudo os de procedência banto, como *Negros bântus* (1937), *Candomblés da Bahia* (1948) e *Religiões negras* (1963), perseguido pela polícia política do Estado Novo, teve de refugiar-se no terreiro Axê Opô Afonjá, sob a guarda de Mãe Aninha (cf. Santos, D., 1988, p. 14).

As religiões afro-brasileiras, além de serem temas de estudo das elites locais, também atraíram a atenção de pesquisadores estrangeiros. O antropólogo Roger Bastide, vindo ao Brasil em 1938, para estudar as relações raciais entre brancos e negros, encantou-se com o universo mítico dos candomblés baianos, passando a estudá-lo e produzindo uma das mais abrangentes análises sobre o assunto. Suas principais obras, *O candomblé da Bahia* e *Religiões africanas do Brasil,* tornaram-se leituras obrigatórias durante as décadas de 1950 e 1960.

Outro francês, Pierre Verger, fotógrafo e posteriormente etnólogo, depois de ler o romance *Jubiabá*, de Jorge Amado, nos inícios da década de 1940, resolveu mudar-se para a Bahia, cenário dos personagens do livro, onde estabeleceu estreitas relações com as casas de culto de Salvador. Em suas frequentes viagens à África, produziu vários estudos comparativos entre a religião dos orixás na África e no Brasil e um dos mais belos acervos de fotografia sobre o tema, publicado em *Orixás* (1981).

Em muitos casos, os estudos das manifestações religiosas dos negros chegaram mesmo a ser patrocinados por órgãos oficiais do Estado. Em São Paulo, Mário de Andrade, como secretário da Cultura, organizou a Missão de Pesquisas Folclóricas que, de fevereiro a julho de 1938, percorreu o Nordeste e o Norte do Brasil e registrou, por meio de gravações sonoras, fotos e material recolhido, as principais manifestações musicais e religiosas afro-brasileiras, como tambor-de-mina, xangô, babassuê e catimbó. A contradição entre cultura oficial e cultura popular já se revelava neste período, pois a Missão de Pesquisas, mesmo sendo uma iniciativa do governo paulista, só conseguiu gravar os rituais religiosos depois que estes obtiveram autorização policial para serem realizados.

Como se vê, nas primeiras décadas do século XX, a questão do negro e sua religiosidade tornam-se inevitáveis para a definição do Brasil buscada pelos intelectuais. Em muitos casos, a valorização desse segmento formador da cultura nacional se fez juntamente com a adesão dos intelectuais ao seu universo religioso.

Muitos pesquisadores e artistas brancos, encantados com essa reinvenção da África no Brasil, converteram-se ao candomblé e passaram a divulgá-lo com maior ênfase.

Foi nesse contexto que a classe média branca se uniu à classe pobre, que já freqüentava a religião afro-brasileira que viria a se tornar a mais popular da experiência religiosa dos brasileiros, a umbanda.

AS ORIGENS DA UMBANDA

A umbanda, como culto organizado segundo os padrões atualmente predominantes, teve sua origem por volta das décadas de 1920 e 1930, quando kardecistas de classe média, no Rio de Janeiro, São Paulo e Rio Grande do Sul, passaram a mesclar com suas práticas elementos das tradições religiosas afro-brasileiras, e a professar e defender publicamente essa "mistura", com o objetivo de torná-la legitimamente aceita, com o *status* de uma nova religião.

Mesmo antes, porém, de adquirir um contorno mais definido, muitos elementos formadores da umbanda já estavam presentes no universo religioso popular do final do século XIX, sobretudo nas práticas bantos. Na cabula, por exemplo, como vimos, o chefe do culto era chamado de embanda — possível origem do nome da religião que se formou pela ação desses líderes ou se confundiu com suas práticas. Cargos e elementos litúrgicos da cabula também preservaram-se na umbanda, como o de cambone, auxiliar do chefe do culto, ou a enba (ou pemba), pó sagrado usado para "limpar" o ambiente dos rituais. Também na macumba o termo umbanda designava o chefe do culto e uma de suas linhas mais fortes (cf. Ramos, 1940, p. 121, 179). Embora faltem dados para reconstituir as diferenças existentes entre as linhas da macumba, é possível supor que pela sua popularidade a linha de umbanda tenha ganhado autonomia em relação às demais e passado a designar um culto à parte.

As origens afro-brasileiras da umbanda remontam, assim, ao culto às entidades africanas, aos caboclos (espíritos ameríndios), aos santos do catolicismo popular e, finalmente, às outras entidades que a esse panteão foram sendo acrescentadas pela influência do kardecismo, como veremos adiante.

Essa influência tornou-se ainda mais significativa especialmente depois da reordenação por que passou o heterogêneo universo da macumba, codificado e reinterpretado sob a inspiração da doutrina kardecista.

O KARDECISMO

O kardecismo chegou ao Brasil em meados do século XIX. Criado na França por Allan Kardec (pseudônimo de Léon Hippolyte Dénizart Rivail), essa doutrina filosófica e religiosa fez pouco sucesso em seu local de origem, mas no Brasil teve grande repercussão e aceitação, inicialmente entre as famílias de classe média (mais próximas das idéias e novidades produzidas na Europa) e depois entre a população em geral.

Como base doutrinária, o kardecismo estabelece a existência de um Deus criador, onipotente e onipresente (o mesmo da tradição judaico-cristã), porém muito distante dos homens. Mais próximos destes estão os "guias" (espíritos dos mortos, "desencarnados"), cuja missão é ajudar os homens a evoluir através da prática da caridade, do bem e do amor aos semelhantes.

A crença na reencarnação é um dos pontos centrais desse sistema religioso. Os espíritos passariam por sucessivas encarnações ao longo das quais, dotados do livre-arbítrio, poderiam evoluir através da prática do bem, ou regredir cedendo aos vícios do corpo material (promiscuidade, alcoolismo, drogas, violência, ignorância, etc.). Pela "lei do carma" (de inspiração hinduísta), a cada reencarnação na Terra os espíritos colhem os frutos das boas ações praticadas no passado ou pagam pelas más. De acordo com essas ações é que eles se tornam espíritos "de luz" ou "das trevas". A Terra é considerada, nesse contexto, um planeta de aprendizado, expiação (através do sofrimento), solidariedade e caridade (para com os que sofrem).

Jesus Cristo, cujo evangelho é reinterpretado à luz dessa doutrina, é tido como um espírito superior (a maior entidade encarnada que já veio ao nosso mundo) e exemplo do sacrifício e abdicação necessários ao aprimoramento espiritual.

A mediunidade (capacidade de entrar em contato com o mundo invisível dos espíritos) é considerada uma qualidade inata e necessária ao homem em seu processo de evolução espiritual. Cabe à religião, portanto, promover os meios para que os adeptos desenvolvam essa capacidade e entrem em contato com o mundo dos desencarnados.

O kardecismo caracteriza-se, ainda, pela aplicação dos métodos e explicações científicas (em pleno auge de valorização na época de sua formação) no entendimento dos fenômenos sobrenaturais. Assim, para explicar os fenômenos espirituais (como a possessão, a vida após a morte, etc.) através da dedução, das leis de ação e reação, causa e efeito, o kardecismo produziu, ao mesmo tempo, um discurso racional e religioso. Se nas religiões mágicas os fenômenos sobrenaturais são aceitos tendo como base a fé nos mistérios divinos, no kardecismo esses mistérios foram explicados em bases "científicas", o que permitiu atingir um público mais instruído e suscetível às críticas ao chamado "baixo espiritismo". O transe, sendo praticado no kardecismo por uma população de nível educacional maior, como funcionários públicos e profissionais liberais, passou a ser melhor aceito por essa camada social que sempre o vira como característica das religiões "primitivas" ou "atrasadas".

Essa atitude racional e científica do kardecismo refletiu-se na valorização da escrita e da leitura no contexto religioso. Os livros (geralmente psicografados pelos médiuns, contendo a doutrina e os ensinamentos morais) tornaram-se veículos importantes para a difusão da religião, principalmente entre a classe média instruída.

No plano organizacional, o movimento espírita desenvolveu-se articulando suas várias áreas de atuação em federações. Embora essas federações não fossem uma instância controladora dos centros espíritas através da imposição de uma doutrina ou práticas unificadas a serem seguidas, funcionaram como importantes canais para o desenvolvimento da religião no nível da mobilização em favor dos ideais e interesses comuns aos grupos espíritas.

Em resumo, o kardecismo, sendo praticado por um estrato social mais elevado da população, autodenominando-se uma religião cristã, legitimando a possessão dos espíritos e apresentando um discurso racional frente os fenômenos mágicos, serviu como mediador para a constituição da umbanda, que, sob sua influência, se desenvolveu como religião organizada.

A codificação umbandista

É muito difícil dizer com precisão em que momento começaram a "baixar" nas sessões espíritas kardecistas as entidades dos cultos afro, ou quando estes começaram a absorver os valores kardecistas. Contudo, a história de formação de um dos terreiros de umbanda mais conhecidos do Rio de Janeiro, o Centro Espírita Nossa Senhora da Piedade, possibilita a compreensão dos princípios básicos que estruturaram a nova religião.

Esse centro de umbanda (embora tivesse sido registrado como "espírita" por imposição legal) foi fundado por um grupo de kardecistas liderados por Zélio de Moraes em meados da década de 1920, em Niterói. Posteriormente transferiu-se para o centro do Rio de Janeiro, onde se localiza até hoje.

Segundo Diana Brown, que pesquisou as origens da umbanda nesse período,

> *Zélio e seus companheiros provinham predominantemente dos setores médios. Trabalhavam no comércio, na burocracia governamental, eram oficiais de unidades militares; o grupo incluía também alguns profissionais liberais, jornalistas, professores e advogados, e ainda alguns operários especializados. Todos esses indivíduos eram homens e quase todos eram brancos [...] Muitos integrantes deste grupo de fundadores eram, como Zélio, kardecistas insatisfeitos, que empreenderam visitas a diversos centros de "macumba" localizados nas favelas dos arredores do Rio e de Niterói. Eles passaram a preferir os espíritos e divindades africanas e indígenas presentes na "macumba", considerando-os mais competentes do que os altamente evoluídos espíritos kardecistas na cura e no tratamento de uma gama muito ampla de doenças e outros problemas. Eles achavam os rituais da "macumba" muito mais estimulantes e dramáticos do que os do kardecismo, que comparados aos primeiros lhes pareceriam estáticos e insípidos. Em contrapartida, porém, ficavam extremamente incomodados com certos aspectos da "macumba". Consideravam repugnantes os rituais que envolviam sacrifícios de animais, a presença de espíritos diabólicos (exus), ao lado do próprio ambiente que muitas vezes incluía bebedeiras, comportamento grosseiro e a exploração econômica dos clientes (Brown, 1985, p. 11).*

Como se vê, a ênfase no culto às divindades africanas e indígenas (consideradas pelos kardecistas como atrasadas), e a depuração desse culto para que elas pudessem "baixar" e trabalhar na umbanda, foi uma das mais marcantes características dessa religião. Essas entidades, a princípio caboclos e pretos-velhos, representando os espíritos dos índios brasileiros e dos escravos africanos, tornaram-se centrais na nova religião que se formava, proclamando sua missão de irmanar todas as raças e classes sociais que formavam o povo brasileiro.

A umbanda constituiu-se, portanto, como uma forma religiosa intermediária entre os cultos populares já existentes. Por um lado, preservou a concepção kardecista do carma, da evolução espiritual e da comunicação com os espíritos e, por outro, mostrou-se aberta às formas populares de culto africano. Contudo, não sem antes purificá-las, retirando os elementos considerados muito bárbaros e por isso estigmatizados: o sacrifício de animais, as danças frenéticas, as bebidas alcoólicas, o fumo e a pólvora. Ou, então, quando se fazia necessário o uso desses elementos, explicando-os "cientificamente", segundo o discurso racional do kardecismo.

No caso da bebida alcoólica, seu uso era justificado argumentando-se que essa tinha uma ação e "vibração anestésica e fluídica" devido à sua evaporação, o que propiciava as descargas (limpezas) das pessoas ou objetos impregnados de fluidos pesados ou negativos. No caso da fumaça do fumo ou dos incensos, explicava-se que, sendo esta um gás, poderia destruir um fluido mau ou nocivo presente num ambiente, substituindo-o por outro fluido, bom e favorável. A explosão da pólvora, por sua vez, ao propiciar a deslocação de ar, atingia os espíritos perturbadores, que então se afastavam (cf. Ortiz, 1978, p. 155).

Partindo de explicações como essas, a umbanda apresentou-se, então, como uma religião mais antiga que os próprios cultos africanos. Como "magia universal", sua origem passou a ser declarada como localizada no conhecimento esotérico e cabalístico de outros povos, como os egípcios e os hindus. Não faltou, inclusive, quem lhe atribuísse uma origem na Lemúria, um fantástico continente perdido, ou derivasse a palavra umbanda de uma fusão de termos de origem sânscrita.

Organização burocrática e legitimação social

A fundação na década de 1920 do centro de umbanda de Zélio de Moraes, embora significativa para a história, não permite, entretanto, que possamos identificá-lo como o primeiro centro dessa religião. Mesmo porque é mais provável que a umbanda não tenha se formado a partir de um único terreiro irradiador. Como lembra Renato Ortiz:

> *A umbanda se desenvolve paralelamente em diferentes estados sem que exista, pelo menos de maneira comprovada, uma relação de influências entre os diversos terreiros. Em meados dos anos 20, existe em Niterói a tenda de Zélio de Moraes, no Rio de Janeiro a de Benjamim Figueiredo, em Porto Alegre a de Otacílio Charão (1986, p. 136).*

Contudo, no final da década de 1930 e início da de 1940, já é possível observar a existência de um movimento umbandista portador de uma ideologia conscientemente estabelecida à qual os terreiros, com maior ou menor fidelidade, se identificam.

Como vimos, o período do Estado Novo (1937-45) foi particularmente contra o desenvolvimento dos cultos afro-brasileiros, o que pode ser afirmado pela forte repressão policial. Por outro lado, em decorrência do enaltecimento da cultura popular e dos valores negros, patrocinados pelas elites intelectuais e artísticas (comprometidas com a definição de nossa identidade nacional), muitas brechas se abriram para a continuidade das práticas religiosas afro-brasileiras.

A umbanda desse período, ao minimizar as influências africanas em suas práticas e sendo liderada por setores médios da população, organizou-se tendo como ponto de apoio essas idéias. Ao mesmo tempo que "embranquecia" os valores religiosos da macumba, considerados atrasados ou primitivos (e alvos de perseguição policial), "empretecia" os valores do kardecismo, considerados europeus por demais, distantes de nossa realidade (cf. Ortiz, 1978). Ao identificar-se com os cultos afro, os umbandistas (a maioria de classe média) propunham uma religião brasileira, nascida aqui. Essa religião refletia os anseios de reconhecimento dos segmentos marginalizados (negros, índios, prostitutas, estivadores — pobres em geral) e as possibilidades de acomodação desses anseios numa sociedade urbana e industrial, marcada por divisões (de classe, trabalho, sexual, etc.), discriminações e desigualdades, e onde os valores da cultura dominante branca continuavam a ser os mais influentes.

A organização dos terreiros umbandistas a partir de um quadro burocrático foi um dos primeiros sinais desses anseios de reconhecimento. Se no candomblé o culto, formado a partir de fragmentos de várias religiões africanas, tinha na família-de-santo uma forma de reconstruir (através do parentesco mítico) as contribuições étnicas dos negros desagregados pelas condições de subordinação social, a umbanda se inspirou nas associações civis (cartoriais) para estabelecer sua organização sócio-religiosa. O terreiro passou, então, a funcionar segundo um estatuto que estabelecia os cargos (como presidente, secretário, tesoureiro), as funções dos membros, os horários de funcionamento e de atendimento ao público, as formas de ingresso e os direitos e deveres de cada "sócio" (como o pagamento de mensalidades para a manutenção da associação).

A hierarquia religiosa assentou-se sobre esta organização burocrática de forma menos complexa que no candomblé. O líder espiritual (o pai ou mãe-de-santo) é auxiliado por assessores (pai ou mãe-pequena, cambonos e tocadores de atabaques) e pelo "corpo de médiuns", os filhos-de-santo ou filhos de fé.

A umbanda, inspirando-se nas federações kardecistas, também criou suas próprias federações. Em 1939, Zélio e outros líderes umbandistas fundaram no Rio de Janeiro a primeira federação de umbanda, a União Espírita da Umbanda do Brasil, principal articuladora do Primeiro Congresso do Espiritismo de Umbanda, ocorrido em 1941, no Rio de Janeiro, quando as principais diretrizes da religião foram traçadas.

Os objetivos das federações, que a partir da década de 1940 começam a proliferar também em outros estados onde a umbanda foi se expandindo, como São Paulo e Porto Alegre, eram os de fornecer assistência jurídica aos seus filiados contra a perseguição policial, patrocinar cerimônias religiosas coletivas, organizar eventos de divulgação da religião e, na medida do possível, impor alguma regulamentação sobre as práticas rituais e doutrinárias através da administração de cursos e da fiscalização das atividades dos terreiros filiados.

A variedade de tendências doutrinárias sob a qual se mantinha o movimento umbandista não tardou a provocar as primeiras dissidências. Se o Primeiro Congresso teve como um dos temas centrais criar a imagem de uma umbanda "pura", "branca", através da eliminação dos elementos africanos tidos como maléficos (ou de quimbanda), a partir da década de 1950 setores dessa religião provenientes dos estratos mais baixos da população, geralmente negros e mulatos, começaram a contestar o distanciamento da umbanda das práticas africanas. À "umbanda branca" opôs-se a tendência de recuperação dos valores africanos presentes na religiosidade popular.

No Segundo Congresso de Umbanda, ocorrido no Rio de Janeiro em 1961, o potencial de crescimento da religião evidenciou-se pela quantidade de devotos que, aos milhares, lotaram o estádio do Maracanãzinho, com representantes de dez estados brasileiros e com a presença de políticos municipais e estaduais (cf. Brown, 1985, p. 27).

Foi na década de 1960 que a umbanda, já com amplas bases e aproveitando-se de suas alianças políticas, pôde ampliar sua organização e legitimação perante a sociedade. Embora não tivesse uma posição política muito clara, a umbanda soube, por exemplo, aproveitar a seu favor o clientelismo eleitoral e posteriormente, em 1964, o antagonismo do regime militar contra os setores radicais da Igreja católica (principal adversária da umbanda) simpatizantes dos movimentos esquerdistas de oposição ao governo. Como afirma Diana Brown:

> *A umbanda passou bem nas mãos da ditadura militar instituída em 1964. Diferentemente da ditatura anterior, sob Vargas, este*

novo governo militar não negou aos umbandistas seus direitos políticos enquanto umbandistas nem a liberdade da prática religiosa. Ao contrário, a ditadura apoiou os ganhos políticos e sociais alcançados nos 15 anos anteriores e auxiliou a sua institucionalização. Foi sob a ditadura militar que o registro dos centros de umbanda passou da jurisdição policial para a civil [em cartório], que a umbanda foi reconhecida como religião no censo oficial, e que muitos dos seus feriados religiosos foram incorporados aos calendários públicos locais e nacionais, de caráter oficial (1985, p. 37).

No Terceiro Congresso de Umbanda, realizado em 1973, essa religião afirmou-se definitivamente como uma das que mais crescem e uma força expressiva no campo das atividades assistenciais. Além dos centros onde aconteciam as atividades rituais de desenvolvimento espiritual, a religião já contava também com instituições como escolas, creches, ambulatórios, etc., articuladas em torno da missão comum de promover a caridade e a ajuda.

Atuando também através de programas de rádio, de jornais e de publicações próprias, e contando com o apoio de políticos umbandistas ou de simpatizantes da causa umbandista, a religião pôde divulgar em grande escala sua mensagem e atrair adeptos.

Como resultado do processo de legitimação social, a umbanda aos poucos foi adquirindo permissão legal e apoio institucional dos órgãos governamentais para a realização de suas festas em espaços públicos.

No Rio de Janeiro, o dia 31 de dezembro, por ser uma data na qual milhares de umbandistas vão às praias para levar presentes (perfumes, flores, colares) a Iemanjá, foi proclamado, em 1967, Dia dos Umbandistas.

Em São Paulo, a grande popularidade da festa de Iemanjá, realizada por volta do dia 8 de dezembro (dia de Nossa Senhora da Conceição, com quem é sincretizada), fez com que em 1976 a Prefeitura de Praia Grande construísse, à beira-mar, uma estátua dessa divindade segundo a concepção umbandista (com cerca de cinco metros de altura), ao redor da qual a festa foi oficialmente instituída no calendário turístico da cidade. Calcula-se que cerca de um milhão de pessoas entre umbandistas e simpatizantes participem das homenagens a Iemanjá, que atualmente têm se estendido até o dia 31 de dezembro.

Outras festas da umbanda, como a do Dia da Abolição, 13 de maio, dedicada aos pretos velhos, ou a de São Jorge (orixá Ogum), no dia 23 de abril, também ganharam o apoio das autoridades governamentais. Nessa última, realizada em São Paulo há algumas décadas no Ginásio Esportivo do Ibirapuera, a imagem de São Jorge é trazida para esse local por um carro do corpo de bombeiros, desfilando pelas ruas em cortejo. Diante do palanque montado no ginásio, lotado por milhares de umbandistas de todos os estados, e muitas vezes contando também com convidados estrangeiros, a imagem é recebida por políticos e em muitas ocasiões até mesmo pelo governador do estado de São Paulo.

As entidades "brasileiras" da umbanda

Na umbanda, as entidades sobrenaturais apresentam significativas diferenças na sua concepção e finalidade em relação às religiões de origem africana, como o candomblé e o kardecismo.

Foto Arquivo do Autor

Estátua de Iemanjá (Praia Grande, SP). A protetora mãe das águas é uma das divindades mais populares da umbanda.

No candomblé, os deuses africanos transformaram-se de deuses tutelares de um clã, linhagem ou cidade, em deuses pessoais, que cada pessoa recebe em seu corpo e cultua como protetor individual. Contudo, ainda que o orixá Ogum, por exemplo, incorpore em vários filhos-de-santo, ele é reconhecido pela comunidade de candomblé como um deus único, ao qual se associam danças, cores, preferências alimentares e outros atributos de sua identidade.

No kardecismo, as entidades recebidas no corpo dos médiuns são espíritos de mortos, isto é, pessoas que viveram na Terra e voltam para cumprir uma missão de caridade e ajuda (como médicos, artistas, escritores). Nesse sentido, são espíritos de indivíduos e reconhecidos como tal (o dr. Fritz e o dr. Bezerra de Menezes são alguns dos mais conhecidos).

Na umbanda, as entidades situam-se a meio caminho entre a concepção dos deuses africanos do candomblé e os espíritos dos mortos dos kardecistas. Os orixás, por exemplo, são entendidos e cultuados com outras características. Sendo considerados espíritos muito evoluídos, de luz, tornaram-se uma categoria mítica muito distante dos homens, só ocasionalmente descem à Terra e mesmo assim apenas na forma de "vibração".

Se no candomblé as entidades foram agrupadas preservando-se na medida do possível as referências aos grupos étnicos de origem africana, na umbanda foi através da teoria das linhas que se tentou classificar e organizar a grande variedade de entidades cultuadas. Segundo a literatura que tem sido escrita pelos teóricos religiosos da umbanda, nessa religião existem sete linhas dirigidas por orixás principais. Cada linha é composta por sete falanges ou legiões. O número sete é devido ao seu valor cabalístico. Algumas dessas linhas são: Linha de Oxalá, Linha de Iemanjá, Linha de Xangô, Linha de Ogum, Linha de Oxóssi, Linha das Crianças e Linha dos Pretos Velhos. Não existe, entretanto, um consenso entre os vários terreiros e codificadores da umbanda a respeito da composição dessas linhas e falanges. Em muitos casos, por exemplo, juntam-se às linhas dirigidas pelos orixás a Linha do Oriente (da qual fazem parte as ciganas), a Linha das Almas, etc.

Abaixo dos orixás encontram-se os espíritos um pouco menos evoluídos, como os caboclos e os pretos velhos. Pode-se dizer que essas entidades, embora tenham nomes próprios (caboclo Sete Flechas, Rompe-Mato, preto velho Pai João, vovó Maria Conga, etc.), e sejam espíritos de indivíduos — como na concepção kardecista —, remetem muito mais aos segmentos formadores da sociedade brasileira. Os caboclos representam o indígena enaltecido na literatura romântica e popularizado na pajelança, no catimbó e no candomblé de caboclo. Porém, apresentam-se na umbanda como espíritos civilizados, doutrinados ou batizados, como dizem os umbandistas. Quando incorporados, apresentam-se como "católicos", e freqüentemente abrem seus trabalhos espirituais com orações do tipo pai-nosso e ave-maria. O preto velho, quando incorporado nos médiuns, apresenta-se como o espírito de um negro escravo muito idoso que, por isso, anda todo curvado, com muita dificuldade, o que o faz permanecer a maior

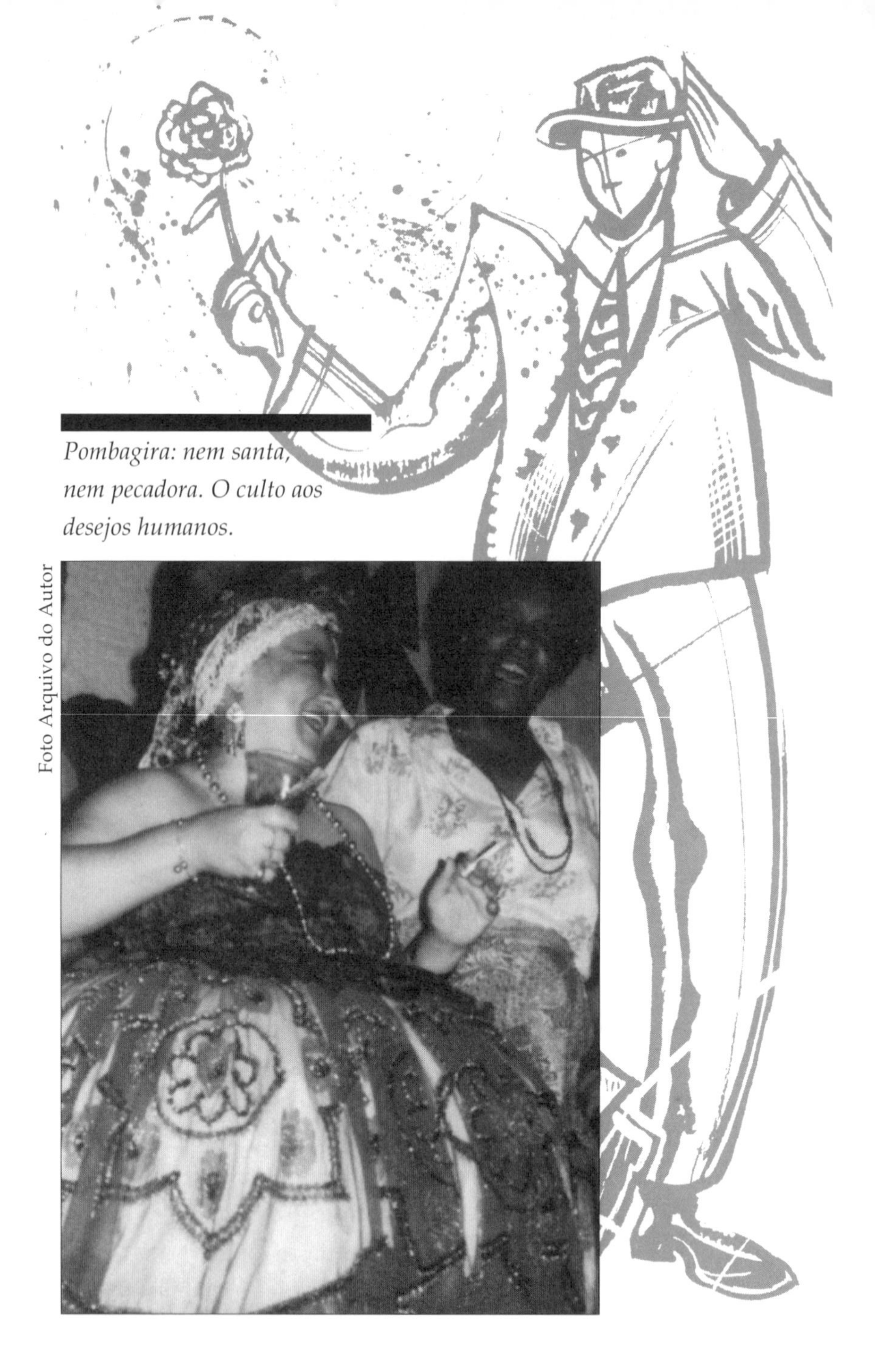

Pombagira: nem santa, nem pecadora. O culto aos desejos humanos.

Foto Arquivo do Autor

parte do tempo sentado num banquinho fumando pacientemente seu cachimbo. Esse estereótipo representa a idealização do escravo brasileiro que, mesmo tendo sido submetido aos maus-tratos da escravidão, foi capaz de voltar à Terra para ajudar a todos, inclusive aos brancos, dando exemplo de humildade e resignação ao destino que lhe foi imposto em vida.

Abaixo desses espíritos intermediários estão os espíritos das trevas, entidades que, não podendo ser afastadas, devido ao ideal de caridade e ajuda da umbanda, incorporam nos médiuns para serem doutrinadas e trabalharem a fim de evoluírem espiritualmente. Neste caso estão os exus e pombagiras. Essa concepção dos exus representa a continuidade, na umbanda, do estereótipo que o catolicismo atribuiu ao orixá Exu associado ao diabo, à morte e à sexualidade desenfreada. No caso da pombagira, seria uma versão feminina do Exu associada ao estereótipo da prostituta, da "mulher de rua", que se veste com roupas escandalosas, exibe atitutes obscenas, linguagem vulgar e gestos escrachados. As pombagiras, associadas aos prazeres do corpo, geralmente quando incorporadas bebem em taças bebidas doces, como champanhe, e fumam cigarros presos a longas piteiras. Por serem entidades das trevas, cultuadas em cemitérios e encruzilhadas e associadas ao mistério da morte, da sexualidade e do corpo, freqüentemente os exus e pombagiras são solicitados na resolução de problemas de saúde, desemprego e de outras aflições. No caso dos problemas amorosos, afetivos ou sexuais geralmente é solicitada ajuda às pombagiras, consideradas especializadas, devido ao seu estereótipo, nas coisas do coração e do desejo. Exus e pombagiras nem sempre são aceitos nos terreiros de umbanda mais próximos do kardecismo. Todavia, nos terreiros que se identificam com as práticas africanas mais populares, as giras dessas entidades ocorrem pelo menos uma vez por mês, geralmente às sextas-feiras depois da meia-noite. Muitos umbandistas classificam essas giras como de quimbanda, sendo que por esse termo também ficou conhecida uma vertente autônoma da umbanda que se dedica ao culto quase que exclusivo dessas entidades.

Outras entidades podem se situar no mesmo plano dos exus e pombagiras, ou um pouco acima em termos de evolução espiritual. É o caso do zé-pilintra, dos marinheiros, baianos, ciganas, etc. Essas entidades, geralmente aludindo aos segmentos marginalizados da sociedade, como bêbados, estivadores, andarilhos, migrantes pobres e outros, representam uma forma de a religião reproduzir, no plano mítico, as condições de subordinação dessas categorias sociais, oferecendo a elas, porém, uma oportunidade de se desenvolverem no "plano astral", ao contrário do que ocorre no "plano real":

> *Ciganos, boiadeiros, pretos velhos, caboclos, exus, todos esses personagens cujos suportes históricos em vida foram explorados, marginalizados, ocupando os interstícios do sistema, toda a legião dos seres liminares, enfim, são transformados, nos terreiros populares, por um processo de inversão, em heróis dotados de força espiritual, capazes de socorrer aqueles que hoje, sujeitos talvez às mesmas vicissitudes, os invocam (Magnani, 1986, p. 48).*

Nesse sentido, a umbanda, ao absorver o sincretismo que caracteriza o universo religioso afro-brasileiro, o fez intervindo conscientemente nesse campo heterogêneo, com vistas a produzir uma síntese que refletisse, no nível religioso, as contribuições (e contradições) dos grupos formadores de nossa experiência social e histórica. E através dessas características a umbanda pôde se afirmar como religião que se quer genuinamente nacional, uma religião à moda brasileira.

Quadro 6
Diferenças rituais entre o candomblé e a umbanda

Panteão

Candomblé: predomínio de um número menor de categorias de entidades circunscritas aos deuses de origem africana (orixás, voduns, inquices), erês (espíritos infantis) e eventualmente caboclos (espíritos ameríndios).

Umbanda: predomínio de um número maior de categorias de entidades agrupadas por linhas ou falanges (orixás, caboclos, pretos velhos, erês, exus, pombagiras, ciganos, marinheiros, zé-pilintra, baianos, etc.).

Finalidades do culto às divindades

Candomblé: serem louvadas através dos rituais privados e festas públicas nas quais os deuses incorporam nos adeptos, fortalecendo os vínculos que os unem e potencializando o axé (energia mítica) que protege e beneficia os membros do terreiro.

Umbanda: desenvolvimento espiritual dos médiuns e das divindades (da escala mais baixa, representada pelos exus, à mais alta, representada pelos orixás) que, quando incorporam nos adeptos, geralmente o fazem para trabalharem receitando passes e atendendo ao público.

Concepção e finalidade do transe

Candomblé: declarado inconsciente e legitimamente aceito somente após a iniciação do fiel para um número reduzido de entidades.

Umbanda: declarado semiconsciente e permitido para um número maior de entidades, na medida do desenvolvimento mediúnico do fiel.

Iniciação

Candomblé: condição básica para o ingresso legítimo no culto. Segregação do fiel por um longo período; raspagem total da cabeça; sacrifício animal e oferendas rituais. Grande número de preceitos.

Umbanda: existe mas não como condição básica para o pertencimento ao culto; *camarinha*: segregação do fiel por um período curto, raspagem parcial da cabeça (não obrigatória), sacrifício animal (não obrigatório) e oferendas rituais. Predomínio do *batismo*, realizado na cachoeira, no mar ou através de entregas de oferendas na mata.

Processos divinatórios: modos de comunicação com os deuses

Candomblé: predomínio do jogo de búzios realizado somente pelo pai-de-santo (sem necessidade do transe), que recomenda os ebós ou despachos para a resolução dos problemas do consulente.

Umbanda: predomínio do diálogo direto entre os consulentes e as divindades que dão "passes" ou receitam trabalhos.

Hierarquia religiosa

Candomblé: estabelecida a partir do tempo de iniciação e da indicação dos adeptos para ocuparem os cargos religiosos. Fundamental na organização sócio-religiosa do grupo.

Umbanda: estabelecida a partir da capacidade de liderança religiosa dos médiuns e de seus guias. Importância da ordem burocrática.

Música ritual

Candomblé: predomínio de cantigas contendo expressões de origem africana. Acompanhamento executado por três atabaques percutidos somente pelos alabês (iniciados do sexo masculino que não entram em transe).

Umbanda: predomínio de pontos cantados em português, acompanhados por palmas ou pelas curimbas (atabaques), sem número fixo, que podem ser percutidos por adeptos (curimbeiros) de ambos os sexos.

Dança ritual

Candomblé: formação obrigatória da "roda de santo" (disposição dos adeptos na forma circular, dançando em sentido anti-horário). Predomínio de expressões coreográficas preestabelecidas, que identificam cada divindade ou momento ritual.

Umbanda: não-obrigatoriedade da formação da "roda de santo". Disposição dos adeptos em fileiras paralelas. Predomínio de uma maior liberdade de expressão da linguagem gestual nas danças que identificam as divindades.

Conclusão

A história do desenvolvimento das religiões afro-brasileiras, como vimos, reproduz o processo de contato entre os grupos raciais e sociais formadores da sociedade brasileira.

Esse desenvolvimento está, portanto, marcado por movimentos de dominação e resistência, que repercutem no plano religioso as imposições, contradições e aproximações existentes nas relações entre negros, brancos e índios.

Assim, o que permitiu o desenvolvimento de religiões dominadas, como a dos africanos e indígenas em face das pressões do catolicismo, foi o processo contínuo de negociação entre seus praticantes e a própria lógica dos sistemas religiosos que entraram em contato.

As semelhanças estruturais existentes entre o catolicismo popular, as religiões indígenas e os cultos africanos (como a devoção às entidades intercessoras, o aspecto mágico que envolve essa devoção, entre outras características) possibilitaram a tradução e o intercâmbio entre os elementos constituintes desses sistemas religiosos. Dessa forma, uma rica e complexa gama de religiões afro-brasileiras pôde se formar — umas mais próximas das contribuições indígenas e bantos (como a pajelança, o catimbó, o candomblé de caboclo, a umbanda, etc.); outras mais próximas das contribuições jeje-nagô (como o candomblé da Bahia, o xangô do Recife e o tambor-de-mina do Maranhão).

Contudo, direções significativamente diferentes marcaram o desenvolvimento dos dois modelos mais conhecidos destas religiões: o candomblé e a umbanda.

No caso do candomblé, seu movimento de resistência e o interesse por essa religião, despertado pelos pesquisadores, intelectuais e artistas, fez com que um número crescente de brancos passasse a vê-lo com maior tolerância e em muitos casos até mesmo o freqüentando.

Historicamente, foi através da mediação dessas elites que aconteceu a aproximação e inserção das classes médias, além da aproximação que se dava pela utilização dos serviços mágicos das mães-de-santo negras. Os mulatos e brancos pobres já o freqüentavam, recebendo os deuses dos negros nos terreiros fundados por esses ou comandando seus próprios terreiros.

Essa aproximação, que incluiu, além dos artistas e intelectuais, autoridades policiais e políticos, fez parte de uma importante estratégia de legitimação da religião (estigmatizada e perseguida) diante da sociedade brasileira, na medida em que indicava uma possibilidade de tradução do candomblé em diferentes dimensões da vida nacional ou mesmo de contar com uma proteção informal das autoridades.

A partir da década de 1960, com o questionamento e crítica das influências externas em nossa cultura e dos meios de comunicação de massa, surgem movimentos políticos (de consciência negra e outros) e artísticos (como o tropicalismo) de revalorização dos temas nacionais. A Bahia entrou na moda dos grandes centros urbanos do Sudeste e seus artistas (na maioria ligados aos candomblés, como Jorge Amado, Caribé, Dorival Caymmi, Caetano Veloso e Maria Bethânia, entre outros) difundiram nacionalmente essa religião, incluindo os personagens do povo-de-santo em sua literatura, as cores e os motivos dos deuses africanos em suas pinturas e os nomes e lendas dos orixás em suas músicas.

A popularidade do candomblé também foi ampliada pela influência dos seus ritmos e danças nas grandes festas populares brasileiras. A crescente valorização da musicalidade e da dança de origem africana fez com que estas rompessem os limites dos terreiros e ganhassem as ruas. Dos xangôs do Recife saíram os maracatus, grupos carnavalescos intimamente ligados às tradições religiosas africanas. Dos candomblés de Salvador saíram os afoxés, versões semiprofanas dos cultos aos orixás, executadas por grupos constituídos originariamente de pessoas ligadas ou próximas aos terreiros. O samba, tornado símbolo da música popular brasileira e diretamente relacionado com a festa mais conhecida e divulgada nacionalmente, o carnaval, teve sua origem no Rio de Janeiro, a partir dos centros aglutinadores das religiões afro-brasileiras. Nessa cidade ficou famosa, por exemplo, a casa de Tia Ciata (Hilária Batista de Almeida), que agrupou intensamente a população negra e se tornou um dos centros mais ativos na propagação da cultura religiosa e musical afro-brasileira (cf. Moura, R., 1983).

Assim, o candomblé, ao tornar-se símbolo da cultura religiosa brasileira, popularizou-se além dos limites dos grupos que o praticavam originariamente.

Na umbanda, o mesmo processo de popularização também pôde ser visto. Basta lembrar as músicas, por exemplo, de Clara Nunes e Martinho da Vila, freqüentemente inspiradas ou baseadas em "pontos" (cantigas religiosas) da umbanda. Contudo, se no candomblé essa popularização teve como conseqüência uma forte "folclorização" da religião e sua representação como sobrevivência dos negros, na umbanda, devido à sua ideologia, ela seguiu outros caminhos.

A umbanda, como religião que se quer brasileira, nacional, patrocinou no plano mítico a integração de todas as categorias sociais, principalmente as marginalizadas, através de uma nova síntese onde os valores dominantes da religiosidade de classe média (católicos e posteriormente kardecistas) se abriram às formas populares afro-brasileiras, depurando-as em nome de uma mediação que, no plano do cosmo religioso, representou a convivência das três raças brasileiras.

Nesse sentido, pode-se dizer que, se o candomblé procurou reconstituir nos terreiros pedaços da África no Brasil (também como forma de expressar a dificuldade e as restrições encontradas pelos negros para se estabelecerem social e culturalmente como negros e brasileiros na sociedade nacional), a umbanda procurou, pela ação da classe média branca e depois dos segmentos mais baixos da população (negros e mulatos), refazer o Brasil passando pela África, porém depurando-a. Um Brasil onde as mazelas de nosso passado e presente pudessem ser dirimidas ou recompensadas através da confraternização numa nova ordem mítica, na qual índios, negros, pobres, prostitutas e malandros pudessem retornar como espíritos, seja como heróis que souberam superar as privações e opressões que sofreram em vida, seja como categorias que, ao menos pela evolução espiritual, mantêm viva a esperança de ocupar espaços de prestígio que a ordem social sempre lhes negou.

Glossário

Abiã: pessoa que freqüenta o candomblé mas ainda não passou pelos rituais da iniciação. Posto mais baixo da hierarquia do terreiro.

Amaci: banho de ervas sagradas usado para a purificação.

Assentamento: conjunto de objetos (pratos, ferro, búzios, pedra, etc.) e emblemas que representa o orixá. O mesmo que *ibá*.

Atabaque: instrumento de percussão usado nas cerimônias para acompanhar os cânticos aos orixás. No candomblé geralmente são três (rum, o maior; rumpi, o médio; e lé, o menor). Na umbanda os atabaques são denominados de curimbas.

Axé: energia vital. Força espiritual que reside na natureza (em objetos inanimados como pedras ou em animais e plantas) e representa o poder de realização e a dinâmica das entidades do candomblé.

Axexê: cerimônia fúnebre do candomblé.

Babalaô: adivinho; praticante dos jogos divinatórios.

Babalorixá: o mesmo que *pai-de-santo.*

Bori: ritos para o fortalecimento espiritual da cabeça (ori) de uma pessoa.

Caboclo: entidade que representa o índio brasileiro ou as populações mestiças das áreas rurais.

Cambono: auxiliar do sacerdote ou dos médiuns incorporados na umbanda.

Congá: altar nos terreiros de umbanda, onde são postas e cultuadas as imagens dos santos católicos, caboclos, pretos velhos, etc.

Decá: ritual realizado no sétimo ano de iniciação de um adepto, e que lhe confere permissão para abrir seu próprio terreiro e tornar-se pai-de-santo.

Demanda: briga; desavença; desentendimento entre pessoas, terreiros ou orixás cuja explicação remete a questões espirituais.

Despacho: oferenda alimentar ou sacrifício de animal feito em homenagem às divindades para obter sua ajuda e proteção na solução de problemas.

Dijina: nome religioso, iniciático, com que são conhecidas e tratadas as pessoas no candomblé. O mesmo que *oruncó*.

Ebó: o mesmo que *despacho*.

Ebomi: *status* do iniciado após a realização da cerimônia do decá.

Egum: espírito dos mortos cultuado no candomblé em locais reservados como no quarto de balé.

Encantados: espíritos da natureza cultuados sobretudo nas religiões de influência indígena e banto.

Encosto: perturbações atribuídas aos espíritos dos mortos.

Equede: cargo do candomblé reservado às mulheres "não-rodantes" (que não entram em transe). Sua função é auxiliar os membros do terreiro quando estão incorporados.

Fazer ou ***raspar o santo***: iniciação no candomblé que consiste na realização de diversos rituais privados (como a raspagem do cabelo, a sacralização do assentamento do orixá através do sacrifício de animais, etc.) e que termina com a apresentação do iniciado numa festa pública denominada saída-de-iaô.

Filho-de-santo: pessoa iniciada no candomblé.

Fundamento: conhecimento secreto sobre a religião.

Gira: sessão de trabalho espiritual na umbanda.

Guia: entidade espiritual protetora. Colar de contas que representa esta entidade.

Ialorixá: o mesmo que *mãe-de-santo*.

Iaô: iniciado do candomblé até o sétimo ano de iniciação.

Jogo de búzios: processo de adivinhação de origem africana no qual o sacerdote, através de pequenas conchas (também chamadas de cauris ou búzios), faz previsões sobre o destino do consulente.

Linha: "faixa de vibração" que em alguns cultos afro agrupa as divindades e as identifica por meio de cânticos, doutrinas ou rituais próprios.

Mãe ou *Pai-de-santo*: pessoa que ocupa o mais alto grau da hierarquia religiosa, que inicia os adeptos e zela pela vida espiritual dos membros de seu terreiro.

Mãe ou *Pai-pequeno*: auxiliar do pai ou da mãe-de-santo. Segunda pessoa na hierarquia do terreiro.

Obrigação: cerimônias ou oferendas rituais feitas periodicamente às divindades.

Obsessão: perturbação de origem espiritual.

Ogã: cargo reservado aos homens "não-rodantes" (que não entram em transe) e cuja função é auxiliar o pai ou a mãe-de-santo.

Ogã Alabê: aquele que é encarregado de tocar os atabaques no candomblé.

Ogã Axogum: pessoa encarregada do sacrifício ritual de animais no candomblé.

Otá: pedra sagrada que compõe o assentamento e representa o orixá.

Pejí: altar onde são colocados todos os objetos sagrados das divindades do candomblé. Lugar reservado do terreiro onde os assentamentos dos orixás são todos cultuados.

Pemba: pó sagrado usado na purificação de ambientes. Giz utilizado pelas divindades da umbanda para riscar no chão os "pontos" (sinais) que as identificam.

Quelê: colar de contas que os iniciados do candomblé usam rente ao pescoço, durante algum tempo, como símbolo da recente iniciação.

Quizila: proibição ritual, temporária ou permanente, imposta pelo orixá ao seu filho.

Roncó: quarto onde são realizados os rituais privados da iniciação.

Terreiro: templo onde são cultuadas as divindades das religiões afro-brasileiras. Também conhecido como ilê, abassá, roça, centro, tenda ou cabana.

Toque: festa pública do candomblé em homenagem aos orixás.

Vodu: nome pelo qual são conhecidas as religiões de origem africana no Haiti. Popularmente designa feitiço, trabalho, magia feita para se obter o mal de alguém.

Vodum: nome genérico das divindades jejes.

Bibliografia

ALVARENGA, Oneida. *Registros sonoros de folclore musical brasileiro* (xangô, tambor-de-mina e tambor de crioulo, 1948; catimbó, 1949; babassuê, 1950). São Paulo, Departamento de Cultura.

AMARAL, Rita de Cássia. 1992. *Povo-de-santo, povo-de-festa*; o estilo de vida dos adeptos do candomblé paulista. São Paulo, FFLCH/USP. Dissertação de Mestrado.

_______ & GONÇALVES DA SILVA, Vagner. 1992. Cantar para subir — Um estudo antropológico da música ritual no candomblé paulista. *Religião e Sociedade, 16*(1/2), Rio de Janeiro, ISER.

AZEVEDO, Thales de. 1976. Catequese e aculturação. In: SCHADEN, Egon, org. *Leituras de etnologia brasileira*. São Paulo, Nacional.

BASTIDE, Roger. 1978. *O candomblé da Bahia*. São Paulo, Nacional.

_______ . 1983. *Estudos afro-brasileiros*. São Paulo, Perspectiva.

_______ . 1985. *As religiões africanas no Brasil*. São Paulo, Pioneira.

BIRMAN, Patrícia. 1985. *O que é umbanda*. São Paulo, Brasiliense.

BRAGA, Julio Santana. 1987. *Sociedade protetora dos desvalidos*; uma irmandade de cor. Salvador, Ianamá.

BROWN, Diana. 1985. Uma história da umbanda no Rio. *Umbanda e Política*, Rio de Janeiro, Marco Zero.

CACCIATORE, Olga Gudolle. 1977. *Dicionário de cultos afro-brasileiros*. Rio de Janeiro, Forense-Universitária.

CAMARGO, Candido Procópio Ferreira de. 1961. *Kardecismo e umbanda*. São Paulo, Pioneira.

CARNEIRO, Edison. 1978. *Candomblés da Bahia*. Rio de Janeiro, Civilização Brasileira.

_______. 1981. *Religiões negras, negros bantos*. Rio de Janeiro, Civilização Brasileira.

CARVALHO, José Jorge D. 1988. A força da nostalgia: a concepção do tempo histórico dos cultos afro-brasileiros tradicionais. *Religião e Sociedade, 14* (2), Rio de Janeiro.

CASCUDO, Luís da Câmara. 1988. *Dicionário do folclore brasileiro*. São Paulo, Itatiaia/Edusp.

CAVALCANTI, Maria Laura Viveiros de Castro. 1983. *O mundo invisível*; cosmologia, sistema ritual e noção de pessoa no espiritismo. Rio de Janeiro, Zahar.

CONCONE, Maria Helena Vilas Boas. 1987. *Umbanda, uma religião brasileira*. São Paulo, FFLCH/USP, CER.

_______ & NEGRÃO, Lísias. 1985. Umbanda: uma representação à cooptação. O envolvimento político partidário da umbanda paulista nas eleições de 1982. *Umbanda e Política*, Rio de Janeiro, Marco Zero. Cadernos do ISER (18): 43-80.

CORRÊA, Norton F. 1988.*O batuque do Rio Grande do Sul*. Porto Alegre, Ed. da Universidade Federal do Rio Grande do Sul.

CUNHA, Mariano Carneiro da. 1985. *Da senzala ao sobrado*. São Paulo, Nobel/Edusp.

DANTAS, Beatriz Góis. 1988. *Vovó Nagô e Papai Branco*. Rio de Janeiro, Graal.

ELBEIN DOS SANTOS, Juana. 1977. *Os nagô e a morte*. Petrópolis, Vozes.

EWBANK, Thomas. 1976. *Vida no Brasil*. São Paulo, Itatiaia/Edusp.

FERNANDES, Gonçalves. 1937. *Xangôs do Nordeste*. Rio de Janeiro, Civilização Brasileira.

_______. 1941. *O sincretismo religioso no Brasil*. Curitiba, Guaíra.

FERRETTI, Mundicarmo Maria Rocha. 1993. *Desceu na Guma*; o caboclo no tambor-de-mina e no processo de mudança de um terreiro de São Luís: a casa de Fanti-Achanti. São Luís, SIOGE.

FERRETTI, Sergio F. 1988. Voduns da Casa das Minas. In: MOURA, Carlos E. M. de, org. *Meu sinal está em teu corpo*. São Paulo, Edicon/Edusp.

GONÇALVES DA SILVA, Vagner. 1992. *O candomblé na cidade: tradição e renovação*. São Paulo, FFLCH/ USP. Dissertação de Mestrado.

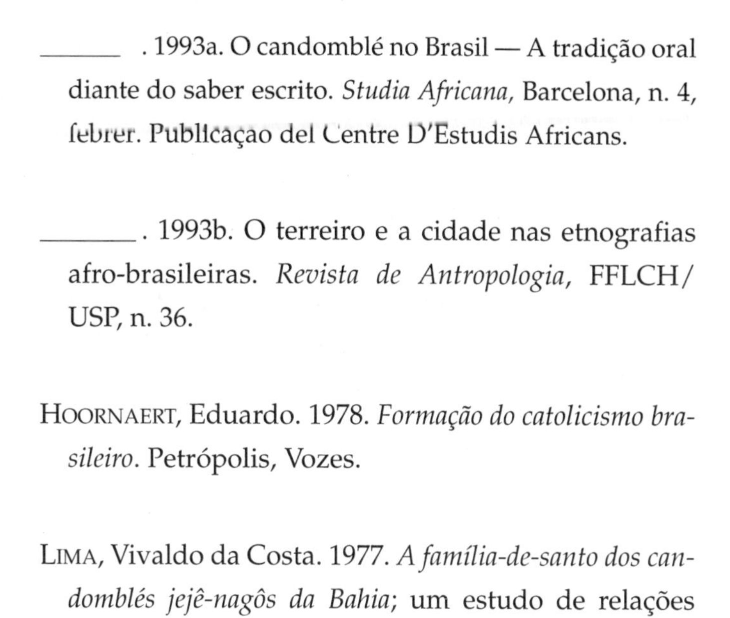

______ . 1993a. O candomblé no Brasil — A tradição oral diante do saber escrito. *Studia Africana,* Barcelona, n. 4, febrer. Publicaçao del Centre D'Estudis Africans.

______ . 1993b. O terreiro e a cidade nas etnografias afro-brasileiras. *Revista de Antropologia,* FFLCH/ USP, n. 36.

HOORNAERT, Eduardo. 1978. *Formação do catolicismo brasileiro.* Petrópolis, Vozes.

LIMA, Vivaldo da Costa. 1977. *A família-de-santo dos candomblés jejê-nagôs da Bahia;* um estudo de relações intragrupais. Salvador. Pós-Graduação em Ciências Humanas da UFBA.

LODY, Raul Giovanni. 1977. *Samba de caboclo.* Rio de Janeiro, Funarte. Cadernos de Folclore, n.17.

______ . 1987. *Candomblé;* religião e resistência cultural. São Paulo, Ática. (Série Princípios, 108.)

LUZ, Marco Aurélio & LAPASSADE, Georges. 1972. *O segredo da macumba.* Rio de Janeiro, Paz e Terra.

MAGNANI, José Guilherme Cantor. 1986. *Umbanda.* São Paulo, Ática.

MONTERO, Paula. 1985. *Da doença à desordem*; a magia na umbanda. Rio de Janeiro, Graal.

MORAIS FILHO, Melo. 1979. *Festas e tradições populares do Brasil*. São Paulo, Itatiaia/Edusp.

MOTT, Luis. 1986. Acotundá: raízes setecentistas do sincretismo religioso afro-brasileiro. *Revista do Museu Paulista*, São Paulo, v. XXXI.

MOTTA, Roberto, org. 1982. *Os afro-brasileiros (Anais)*. Recife, Fundação Joaquim Nabuco/Ed. Massangana.

MOURA, Carlos E. M. de, org. 1981. *Olóòrisà, escritos sobre a religião dos orixás*. São Paulo, Ágora.

MOURA, Roberto. 1983. *Tia Ciata e a pequena África no Rio de Janeiro*. Rio de Janeiro, Funarte/INM/Divisão de Música Popular.

NEGRÃO, Lísias Nogueira. 1979. A umbanda como expressão de religiosidade popular. *Religião e Sociedade*, (4): 171-80. Rio de Janeiro, Civilização Brasileira.

NERY, D. João Batista Corrêa. 1963. *A cabula — um culto afro-brasileiro*. Vitória, Cadernos de Etnografia e Folclore.

ORTIZ, Renato. 1978. *A morte branca do feiticeiro negro*. Petrópolis, Vozes.

_______. 1986. Breve nota sobre a umbanda e suas origens. *Religião e Sociedade, 13* (1): 134-7. Rio de Janeiro, Civilização Brasileira.

PECHMAN, Telma. 1982. Umbanda e política no Rio de Janeiro. *Religião e Sociedade*, n. 8. São Paulo, Cortez/Tempo Presença.

PRANDI, Reginaldo. 1991. *Os candomblés de São Paulo*. São Paulo, Hucitec/Edusp.

_______ & GONÇALVES DA SILVA, Vagner. 1989a. Axé São Paulo. In: MOURA, Carlos E. M. de, org. *Meu sinal está em teu corpo*. São Paulo, Edicon/Edusp.

_______. 1989b. Deuses tribais de São Paulo. *Ciência Hoje*, (57): 34-44. Rio de Janeiro.

QUIRINO, Manuel. 1938. *Costumes africanos no Brasil*. Rio de Janeiro, Civilização Brasileira.

RAMOS, Arthur. 1940. *O negro brasileiro*. São Paulo, Nacional.

REIS, João José. 1988. Magia jejê na Bahia: a invasão do calundu no posto de Cachoeira, 1785. *Revista Brasileira de História, 8* (16): 57-81. São Paulo, ANPUH/Marco Zero.

RIBEIRO, René. 1952. *Cultos afro-brasileiros do Recife*; um estudo de ajustamento social. Recife, Boletim do Instituto Joaquim Nabuco.

RIO, João do (Paulo Barreto). 1951. *As religiões no Rio*. Rio de Janeiro, Organização Simões.

RODRIGUES, Raimundo Nina. 1935. *O animismo fetichista dos negros bahianos*. Rio de Janeiro, Civilização Brasileira.

_______ . 1977. *Os africanos no Brasil*. São Paulo, Nacional.

ROLNIK, Raquel. 1989. Territórios negros nas cidades brasileiras (etnicidade e cidade em São Paulo e no Rio de Janeiro). *Estudos Afro-Asiáticos*, (17): 29-41.

SAINT-HILAIRE, Auguste de. 1975. *Viagem às nascentes do Rio São Francisco*. São Paulo, Itatiaia/Edusp.

SANTOS, Deoscóredes Maximiliano dos. 1988. *História de um terreiro nagô*. São Paulo, Max Limonad.

SANTOS, Jocélio Teles dos. 1992. *O dono da terra*; a presença do caboclo nos candomblés da Bahia. São Paulo, FFLCH/USP. Dissertação de Mestrado.

SILVA, Valdeli Carvalho da. 1987. Cabula e macumba. *Síntese, 41* (15): 65-85. Belo Horizonte, Nova Fase, Revista do Centro João XXII e Grupo de Reflexão.

SOUZA, Laura de Mello e. 1989. *O diabo na Terra de Santa Cruz*. São Paulo, Companhia das Letras.

SPIX, Johann von & MARTIUS, Carl F. P. von. 1981. *Viagem pelo Brasil*. São Paulo, Itatiaia/Edusp.

THOMAS, Keith. 1991. *Religião e o declínio da magia*. São Paulo, Companhia das Letras.

VELHO, Yvone Maggie Alves. 1975. *Guerra de orixá*. Rio de Janeiro, Zahar.

VERGER, Pierre. 1981. *Orixás*. São Paulo, Corrupio.

_______. 1985. *Lendas africanas dos orixás*. São Paulo, Corrupio.

_______. 1990. Uma rainha africana mãe-de-santo em São Luís. *Revista USP*, (6): 151-8. São Paulo.

IMPRESSO NA GRÁFICA sumago

sumago gráfica editorial ltda
rua itauna, 789 vila maria
02111-031 são paulo sp
tel e fax 11 **2955 5636**
sumago@sumago.com.br

Grupo Summus
www.gruposummus.com.br
www.gruposummus.com.br
Acesse, conheça o nosso catálogo e cadastre-se para receber informações sobre os lançamentos.

www.gruposummus.com.br